Tân ar yr Ynys

Diwygiad 1904–05
ar Ynys Môn

R. Tudur Jones

Golygwyd a diweddarwyd
gan Geraint Tudur

Argraffiad Cyntaf – Tachwedd 2004

ISBN 0 86074 211 3

Cyhoeddwyd ac Argraffwyd
gan Wasg Gwynedd, Caernarfon

I Carolyn a'i theulu,
pobl Sir Fôn.

Cynnwys

Rhagair

Ym 1997, tra'n trafod yr angen i ddathlu canmlwyddiant Diwygiad 1904-05 yn 2004, a minnau'n awgrymu mai un posibilrwydd fyddai cyhoeddi cyfrol i nodi'r achlysur, gofynnais i'm tad a fyddai ganddo ddiddordeb mewn cyfrannu i'r fath brosiect. 'Aros am funud,' meddai yntau, gan ddiflannu i'w stydi gyda gwên ddireidus ar ei wyneb. Ddeng munud yn ddiweddarach, ailymddangosodd gydag amlen lychlyd yn ei law. 'Dyma chdi,' meddai, 'fy nghyfraniad i.' 'Be' ydw i fod i wneud â fo?' gofynnais. 'Gwna fel y mynni,' meddai, a diflannu i'r gegin bach i wneud paned i ni'n dau.

Rwyf wedi'i gymryd ar ei air. Yn hytrach na chyhoeddi cyfrol a gwahodd amrywiol bobl i gyfrannu iddi, penderfynodd fy nghydweithwyr yn y Brifysgol ym Mangor gynnal cynhadledd ryngwladol a chyhoeddi'r papurau fyddai'n cael eu darllen yn honno. Gadawodd hynny fi â darlith fy nhad yn fy llaw, ac yn hytrach na'i rhoi yn ôl ar y silff, penderfynais mai gwell fyddai mynd ati i'w chyhoeddi, wedi diweddaru rhai darnau oedd erbyn hyn wedi dyddio ac ychwanegu ambell beth at y nodiadau ar y diwedd. Wrth gyflawni'r gwaith, ceisiais uwchlaw popeth arall ddiogelu arddull gwreiddiol fy nhad, a hynny am fy mod yn gwybod am y pleser mawr a roddodd hwnnw i'w ddarllenwyr dros y blynyddoedd.

Bu llawer o siarad bychanus am y Diwygiad yn y gorffennol ac roedd hynny'n dân ar groen fy nhad. Oedd, yr *oedd* i'r Diwygiad ei wendidau, ond gwyddai ef fod iddo hefyd ei gryfderau. Trwyddo y bu i'w fam a'i dad, Elizabeth Jane a John Thomas Jones, ddod i adnabod eu Gwaredwr. Bu farw Elisabeth Jane ym 1932 yn 44 mlwydd oed, ac ysgrifennodd fy nhad, mewn darn hunangofiannol nad yw eto wedi ei gyhoeddi: 'Yr oeddwn o fewn chwe wythnos i'm pen blwydd yn un ar ddeg oed pan fu hi farw, ac yn ddigon hen i'w chofio'n iawn. Ac yn ddigon hen hefyd i fod â hiraeth sefydlog am gael ei chyfarfod eto.' Nid rhywbeth i wamalu amdano nac i fod yn ddirmygus ohono oedd y digwyddiad oedd yn mynd i wneud y cyfarfod hwnnw'n bosibl.

Llawenydd i mi yw fod y ddarlith o'r diwedd yn gweld golau dydd. Yr oedd bwriad i'w chyhoeddi ym 1977 wedi iddi gael ei thraddodi yn Llangefni, ond ni ddigwyddodd hynny am ryw reswm. A phleser yw cael ei chyflwyno i'm gwraig, Carolyn, a'i theulu, pobl sydd â'u gwreiddiau'n ddwfn yn naear Môn ac sydd wedi dangos caredigrwydd mawr tuag ataf dros y blynyddoedd. Rwy'n siŵr y byddant hwy ac eraill yn cael mwynhad o'i darllen, ac o gael goleuni pellach ar un o'r digwyddiadau hynny a'n gwnaeth ni yr hyn ydym fel pobl.

GERAINT TUDUR
2004

Cynnau'r fflam

Yn nechrau'r ugeinfed ganrif yr oedd pryder am ddirywiad moesol y cyhoedd, a hiraeth am adfywiad crefyddol grymus, yn plethu i'w gilydd yn natganiadau arweinwyr yr eglwysi ym Môn. Wrth roi hanes yr achos ar yr Ynys yn Sasiwn Caergybi, Ebrill 1899, dywedodd y Parch. John Williams, Moriah, Llangefni,[1] mai prif elynion Cristnogaeth yno oedd anniweirdeb, meddwdod ac anystyriaeth. A gorffennodd trwy ddweud mai 'angen mawr Methodistiaid Sir Fôn yw ymweliad mwy nerthol o'r Ysbryd Glân'.[2] Ac nid dweud pethau felly'n unig a wnâi'r arweinwyr. Un o'u credoau cadarnaf oedd fod adfywiad crefyddol yn beth y gellid paratoi amdano, er na ellid ei drefnu. Yr oedd amodau hysbys i ddiwygiad a rhaid oedd cydymffurfio â hwy. Un arwydd o'r gred hon oedd yr ymgyrchoedd pregethu a geid o bryd i'w gilydd, yn cael eu cynnal gan unigolion neu gan eglwysi, a chyfarfodydd gweddi. Un enghraifft ymhlith llaweroedd oedd gwaith Cymanfa Bedyddwyr Môn ym Mehefin 1904 yn Llannerch-y-medd yn galw'r eglwysi i neilltuo'r Sul cyntaf yn Awst fel diwrnod arbennig i weddïo am ddylanwadau'r Ysbryd Glân.[3] Trwy flynyddoedd agoriadol y ganrif, a chyn hynny hefyd, mynegid dyhead dwfn am ddiwygiad. Ac eto, pan ddaeth, fe darawodd bobl â syndod.

Bu'r Diwygiad beth amser cyn cyrraedd Ynys Môn. Cynheuwyd y fflam gyntaf yng Ngheredigion – yn y Tabernacl, y Ceinewydd, lle gweinidogaethai'r Parch. Joseph Jenkins.[4] O dan ei arweiniad ef a thrwy ymgyrchoedd pobl ifainc ei eglwys dechreuodd y tân ledu yng ngwaelod Ceredigion erbyn dechrau 1904. Cynhelid cyfarfodydd a chynadleddau i efengylu ac i ddyfnhau'r bywyd ysbrydol, ac yn un o'r rhain ym Mlaenannerch, 29 Medi 1904, daeth myfyriwr ifanc o dan argyhoeddiad tra chynhyrfus a wnaeth genhadwr ohono. Felly y galwyd Evan Roberts at ei waith. Dychwelodd adref i Gasllwchwr, ac ar 31 Hydref 1904 dechreuodd gynnal cyfarfodydd gweddi pobl ifainc yng nghapel Moriah. Ac o fewn y dim dechreuodd diwygiad angerddol a ledaenodd yn sydyn ryfeddol ar draws Sir Forgannwg.

Yr oedd diwygiad wedi cychwyn yn y Gogledd ers y Sul, 19 Mehefin 1904, pan bregethai'r Parchedigion J. R. Jones, Pontypridd,[5] a Thomas Shankland[6] yng nghyfarfodydd blynyddol y Bedyddwyr yn Seion, Ponciau,[7] a buan y daeth ardal Rhosllannerchrugog yn un o ganolfannau mwyaf cynhyrfus yr adfywiad. Arall oedd ei gychwyniad yng Ngwynedd – cenhadaeth un o bregethwyr huotlaf ei genhedlaeth, Hugh Hughes,[8] ym Methesda, Arfon, o 21 hyd 24 Tachwedd 1904.[9]

Cychwynnodd y Diwygiad ym Mangor yr un wythnos, sef ar 22 Tachwedd 1904, yn ysgoldy'r Bedyddwyr yn Kyffin Square.[10] Yr oedd Morgan Jones, un o fyfyrwyr Coleg y Bedyddwyr, wedi dychwelyd o'r De a dwyn y tân gydag ef. Bob prynhawn cynhaliai myfyrwyr Coleg y Bedyddwyr a Choleg Bala-Bangor gyrddau gweddïo gyda'i gilydd, ac yna bwrw i'r gwaith diwygiadol gyda'r nos.[11]

Lledu i Ynys Môn

Y gred ym 1905 oedd mai yn Llanfair-pwll y teimlwyd awelon y Diwygiad gyntaf yn Sir Fôn.[12] Ym 1904 yr oedd y Nadolig ar y Sul. Yr wythnos cynt cafodd y Wesleaid yn Salem[13] gyfarfodydd gweddïo hynod wlithog. Ar nos Nadolig yr oedd y côr yn ymarfer yng nghapel y Methodistiaid Calfinaidd a phenderfynwyd cael cyfarfod gweddi brynhawn a nos drannoeth. Pan ddaeth prynhawn Llun, 26 Rhagfyr, yr oedd rhyw 200 wedi ymgynnull ac erbyn cyfarfod y nos yr oedd y capel (a eisteddai 429, yn ôl *Blwyddiadur y Methodistiaid Calfinaidd*) yn rhwydd lawn. Parhawyd i gynnal y cyfarfodydd yn feunyddiol gyda'r cyfarfod prynhawn yn datblygu'n gyfarfod merched a rhyw 300, fwy neu lai, yn ei fynychu. Nos Wener, 30 Rhagfyr, 'daeth gŵr ieuanc o'r De i mewn, a ddigwyddodd ar y pryd fod yn yr ardal, a rhoddodd y lle ar dân' – nid yn llythrennol, wrth gwrs, ond yn ysbrydol.[14] Yr oedd y Diwygiad wedi cyrraedd. Erbyn nos Iau, 5 Ionawr, yr oedd 50 wedi eu dychwelyd at yr eglwysi 'o'r byd'. Yn nechrau Chwefror rhoddodd yr Athro John Morris-Jones gyfweliad i'r *South Wales Daily News* a rhoi ei farn am y Diwygiad yn y pentref.[15] Dyma pryd y gwnaeth yr Athro ei ddatganiad adnabyddus mai un o'r pethau a'i synnodd ym merw'r Diwygiad oedd Cymraeg rhagorol llawer gweddïwr[16] y tybid ei fod yn gwbl anllythrennog.[17] Yna aeth ymlaen i ddweud bod y Diwygiad, yn ei dyb ef, yn fudiad moesol yn ei hanfod (*'an essentially ethical movement'*), a'i nod amgen oedd ei ogwydd cymdeithasol a dyngarol. Yn Llanfair, meddai, yr oedd yr ieuenctid wedi ymdrefnu'n grwpiau bychain ac yn ymweld â thai'r tlodion nid yn unig i gynnal cyfarfodydd gweddi ond i holi am eu hanghenion ac i'w cynorthwyo. 'They have become practical philanthropists'.[18] Yr oedd y bechgyn hefyd wedi chwalu'r tîm pel-droed[19] ac oherwydd hynny yr oedd angen gwneud rhyw drefniadau newydd ar gyfer anghenion oriau hamdden. Trwy haelioni Mr a Mrs Rudston-Read cychwynnwyd clwb ieuenctid, ac addawsant hwy ei gynnal am ei flwyddyn gyntaf. Fe'i hagorwyd ar 6 Chwefror 1905 gan John Morris-Jones.[20]

Yn y cyfamser yr oedd cynyrfiadau anarferol mewn mannau eraill. Ar ddydd Sadwrn, 10 Rhagfyr 1904, cyfarfyddai'r Temlwyr Da[21] yn Nwyran i ddathlu pen-blwydd eu teml ac Ap Glaslyn yn gwasanaethu.[22] Yr oedd y Parch. John Henry Williams, Moriah, Llangefni, eisoes wedi ei ysbrydoli gan y Diwygiad a siaradodd yntau gyda thanbeidrwydd. Yr oedd y dyblu a'r treblu ar yr emyn 'Golchwyd Magdalen yn ddisglair . . . ' 'yn gyfryw nas anghofir'. Bore trannoeth torrodd argae'r Diwygiad o dan weinidogaeth J. H. Williams. Y peth mwyaf trawiadol, meddai'r gohebydd, oedd 'gweld hynafgwyr parchus oedd yn llanw y sedd fawr yn cael eu siglo a'u toddi, a dacw un yn bloeddio am ei fywyd, am gael ei guddio yn nghlwyfau'r Oen.' A sylwodd ymhellach mai ‘yr hynafgwyr yn y lle hwn yn benaf oedd yn rhoi ffordd i’w teimladau’.[23]

Yr oedd ‘y dylanwadau nerthol’ yn amlwg yn Llangefni ers dechrau Rhagfyr gyda’r merched yn cynnal cyfarfodydd gweddi, yn ogystal â chyfarfodydd cyffredinol gyda’r nos a’r rheini’n rhedeg yn hwyr.[24] Yn wir, patrwm arferol y Diwygiad oedd ei fod yn cael ei ragflaenu gan gyfarfodydd gweddïo dwys a hir. Efallai mai’r enghraifft fwyaf trawiadol o hyn oedd Hermon, Y Fali, a ddechreuodd gyfarfodydd o’r fath cyn gynted ag y daeth y newyddion cyntaf am y Diwygiad yn y De ac a barhaodd i’w cynnal nes cyrraedd o’r Diwygiad Y Fali ymhen wythnosau.[25] Yr un gred oedd yn ysgogi trefnu’r cyfarfod gweddi mawr yng Nghaergybi. Cyfarfod undebol oedd hwn ar gyfer eglwysi gorllewin Môn a’i amcan penodol oedd ymbil am dywalltiad arbennig o’r Ysbryd Glân. Fe’i cynhaliwyd yn Hyfrydle, Caergybi, ar ddydd Iau, 15 Rhagfyr 1904. Trefnwyd trên arbennig i redeg o Fodorgan i gario’r addolwyr o’r ardaloedd cyfagos. Am ddau o’r gloch y trefnwyd i’r cyfarfod ddechrau ond yr oedd y capel yn orlawn cyn hynny. Llywyddai’r Parch. John Williams, Hyfrydle, ac yr oedd bron holl weinidogion y cylch yn bresennol. Fel yn Nwyran y Sul cynt, yr oedd John Henry Williams, Llangefni, yn llawn brwdaniaeth a phan ofynnodd i’r sawl oedd yn arddel enw Crist godi, cododd pawb.[26] Yr oedd yn gyfarfod ‘na welwyd ei gyffelyb er’s llawer blwyddyn’. A chysylltwyd ef yn uniongyrchol â dechreuadau’r Diwygiad yng Ngheredigion trwy gael Joseph Jenkins, a oedd ar daith efengylu ym Môn ar y pryd, i bregethu yn oedfa'r hwyr.[27] Gŵr o Gwmystwyth oedd Jenkins (1861-1929) yn wreiddiol. Fe'i hordeiniwyd yn weinidog gyda'r Methodistiaid Calfinaidd ym 1881. Yn y Ceinewydd, Ceredigion, yr oedd yn gweinidogaethu adeg y Diwygiad a gwnaeth gyfraniad mawr tuag ato. Er ei fod yn oriog a mympwyol yn aml, yr oedd gyda'r mwyaf ysgytiol o bregethwyr ei gyfnod ac yn ŵr a allai adael argraff annileadwy ar ei wrandawyr.[28]

Drannoeth y cyfarfodydd yng Nghaergybi, yr oedd Jenkins yn siarad mewn cynhadledd grefyddol yn Llannerch-y-medd gyda John Henry Williams. Yr oedd cynadleddau i drafod y bywyd ysbrydol yn un arall o gyfryngau'r Diwygiad, ac yr oedd hon yn hynod wlithog er nad oedd grym yr Adfywiad wedi cyrraedd eto.[29] Ond yn fuan iawn yr oedd y Llan i ddod yn un o ganolfannau mwyaf cynhyrfus y Diwygiad ar yr Ynys.

Yn ystod y gwaeledd a'i goddiweddodd ym 1902-3, argyhoeddwyd Thomas Charles Williams mai'r genadwri a fyddai ganddo i'w chyhoeddi ar fendio oedd 'fod goleuni mawr ar dorri ar Gymru'.[30] Ar fore Sul, 18 Rhagfyr 1904, daeth llewyrch cyntaf y goleuni hwnnw pan oedd Dr Griffiths, y pregethwr gwadd, yn disgrifio'r digwyddiadau yn y De yng nghyfarfod gweddi'r bobl ifainc wedi'r oedfa yng Nghapel M.C. Porthaethwy. Ar y pryd yr oedd y Parch. George Williams, gweinidog gyda'r Bedyddwyr ym Mhontarddulais, yn treulio gwyliau yn y Borth a meginodd ef y fflam.[31] Ffrwyth y gweithgarwch hwn oedd sefydlu cyfarfodydd gweddi undebol a gynhelid bob nos o saith o'r gloch hyd tua deg. Ac yr oedd y Capel Mawr yn rhy fach i'r gynulleidfa, er bod eisteddleoedd i 705 ynddo. Cymerai ugeiniau ran gyhoeddus mewn gweddi am y tro cyntaf yn eu hoes yn y cyfarfodydd, ac 'ymhlith y pethau mwyaf trydanol', meddai Thomas Charles Williams, oedd 'gweddïau y plant'.[32] A chafodd y cyfarfodydd gryn ddylanwad. Yr oedd 50 o ddychweledigion yn ystod yr wythnos gyntaf,[33] a 26 rhwng 30 Rhagfyr a 3 Ionawr.[34] Ac nid pobl i'w dilorni oedd cefnogwyr y cyfarfodydd chwaith. Yr oedd yn arfer ganddynt ar ddiwedd y cyfarfodydd yn y capel fynd i'r sgwâr i'w parhau. Un noson yn nechrau Ionawr 1905 aeth rhai o hogiau Bangor i aflonyddu arnynt. Yn ôl T. C. Williams, 'ni bu colled am einioes neb',[35] ond yn ôl y papur newydd 'arweiniodd i ymladdfa. Triniwyd bechgyn Bangor yn lled arw gan wrandawyr y cwrdd diwygiadol'![36]

R. B. Jones a Joseph Jenkins

Gyda gwawrio'r flwyddyn 1905 dechreuodd y Diwygiad ysgubo Môn yn ei holl rymuster. Gŵr a wnaeth gyfraniad enfawr i'r gwaith yn Ionawr oedd R. B. Jones, Porth, Rhondda. Ganwyd Rhys Bevan Jones yn Nowlais ym 1869. Ar ôl bod yn weinidog yn Berthlwyd, Treharris, symudodd i Gaersalem, Llanelli, ac yna i Salem, Y Porth. Daeth i amlygrwydd buan fel pregethwr llym ond argyhoeddiadol. Wedi i'r Diwygiad basio, daeth yn un o ladmeryddion amlycaf y safbwynt ceidwadol mewn diwinyddiaeth, yn olygydd *Yr Efengylydd* ac yn sefydlydd Institiwt Feiblaidd De Cymru. Bu farw ym 1933.[37]

Bedyddiwr oedd R. B. Jones, a dyna pam yr oedd yn naturiol iddo wneud ei waith yn bennaf yng nghapeli'r Bedyddwyr pan gyrhaeddodd Sir Fôn yn wythnos gyntaf Ionawr 1905 ar wahoddiad Cyngor Eglwysi Rhyddion Caergybi. Bu'n cynnal cyfarfodydd yn Hebron (B), Caergybi, hyd Ionawr 12. Ar ôl y cyfarfodydd yn y capel, ceid rhai eraill yn yr 'Hen Stesion' o dan arweiniad y Parch. David Lloyd, gweinidog Hebron,[38] a'r Parch. R. R. Hughes, gweinidog Ebeneser (M.C.), Kingsland.[39] Yn nechrau'r genhadaeth canolbwyntiai R. B. Jones yn bennaf ar alw aelodau eglwysig i ymroi gyda difrifoldeb newydd i'w proffes ond bu ei weinidogaeth yn foddion i ddychwelyd 75 o bobl nad oeddynt yn aelodau. Ond yr oedd y cyfarfodydd awyr-agored o dan arweiniad gweinidogion fel E. B. Jones (Caergybi),[40] Peter Jones (Llanddona) a John Rowlands (Pontypridd) yn ennill dylanwad cynyddol. Ceid cyfarfodydd gweddïo ym mhob capel yng Nghaergybi. Yna, ar ddiwedd y cyfarfodydd, âi'r bobl ar hyd y strydoedd yn canu emynau ac yn cynnal cyfarfodydd hwnt ac yma. Erbyn 10 Chwefror 1905 yr oedd tros 200 o aelodau newydd wedi ymuno â'r eglwysi.[41] Llanfachreth oedd canolfan R.B. Jones o 13 Ionawr hyd 18 Ionawr. Pan oedd yn pregethu yno, 15 Ionawr, torrodd yn orfoledd mawr a chymerodd pawb oedd yn bresennol ran yn y cyfarfod. Arall oedd yr ymateb yn Rhyd-wyn fore Llun, 16 Ionawr, oherwydd wylo cyffredinol ond tawel a fu. Cafwyd tros 60 o ddychweledigion yn Llanfachreth a thros 30 yn Llanddeusant.[42]

O 18 hyd 21 Ionawr yr oedd R. B. Jones yn Llannerch-y-medd. Yr oedd cyfarfodydd gweddi'n cael eu cynnal bob gyda'r nos ers dechrau'r flwyddyn. Ac, fel mewn cynifer o leoedd adeg y Diwygiad, ceid gorymdeithio ar hyd y strydoedd bob nos Sadwrn.[43] Yn ei bregethu rhoddai R. B. Jones bwyslais trwm iawn ar sancteiddrwydd, a gwnâi hynny mewn dull hynod lym. Yr oedd peth gwrthwynebiad i hyn ar ddechrau'r ymgyrch yn Llannerch-y-medd am fod caredigion y safbwynt Calfinaidd yn teimlo ei fod yn peryglu'r athrawiaeth mai trwy ffydd yn unig y mae cyfiawnhad ac nid o weithredoedd. Teimlai'r pregethwr braidd yn siomedig oherwydd hyn. Ond daeth cymorth iddo o le annisgwyl. Yr oedd myfyrwyr Coleg Bala-Bangor a

Choleg y Bedyddwyr, Bangor, yn parhau i genhadu'n egnïol. Penderfynodd criw o fyfyrwyr Coleg y Bedyddwyr fynd i Lannerch-y-medd. Mynd, wrth gwrs, gyda'r trên. Cyfarfu'r Parch. David Lloyd, Caergybi, â hwy yn Y Gaerwen. Pan ddaethant i Langefni, dyma benderfynu torri'r siwrnai a chynnal cyfarfod wrth y cloc, a gadawodd pobl eu siopau a'u gwaith i ymuno yn y canu a'r gweddïo. Yna ymlaen i Lannerch-y-medd lle cawsant R. B. Jones yn bur drymbluog.[44] Ond siriolodd drwyddo o'u gweld. Ac felly, chwedl Tecwyn Evans, y dechreuodd y myfyrwyr 'stormio'r lle'.[45] Yr oedd prifathrawon y ddau goleg diwinyddol ym Mangor yn gwahaniaethu yn eu hagwedd at y Diwygiad. Yr oedd Dr Lewis Probert, prifathro Coleg Bala-Bangor, wedi cael profiadau 'llym a thanbaid iawn' adeg ei dröedigaeth yn ystod Diwygiad 1859-60 a gadawodd hyn ei ôl yn drwm arno weddill ei oes. Ac yn ei ddiwinyddiaeth parhaodd yn lladmerydd medrus i'r safbwynt Calfinaidd. Yn wir, fel mynegiant o'i werthfawrogiad o Ddiwygiad 1904 yr ysgrifennodd ei lyfr rhagorol ar athrawiaeth yr Ysbryd Glân, *Nerth y Goruchaf* (1906). Perthynai Silas Morris, prifathro Coleg y Bedyddwyr, i genhedlaeth iau na Lewis Probert; ni anwyd mohono hyd 1862. Ac nid oedd yn hapus o gwbl ynglŷn â'r rhan amlwg yr oedd rhai o'i fyfyrwyr yn gymryd gyda'r Diwygiad. Mae cofnodion Pwyllgor Tŷ a Chyllid Coleg y Bedyddwyr yn adlewyrchu gwg y prifathro a'r awdurdodau. Mor gynnar â 22 Tachwedd 1904, gorchmynnodd y Pwyllgor atal y grant o £20 yn achos chwech o'r myfyrwyr am fod 'yn absennol o'r dosbarthiadau'.[46]

Ac yna daeth yr ymgyrch yn Llannerch-y-medd. Unwaith eto yr oedd y myfyrwyr mewn dŵr poeth. Yn ei gyfarfod, 7 Chwefror 1905 – cyfarfod arbennig a gynhullwyd i drafod beth i'w wneud â'r myfyrwyr oherwydd 'eu habsenoldeb o'u dosbarthiadau' – trafodwyd achosion John Thomas Phillips, Thomas Bassett ac Evan Williams. Mynegodd Bassett a Williams eu gofid am dorri rheolau'r Coleg ac wedi iddynt addo cydymffurfio â hwy yn y dyfodol, fe'u hailddérbyniwyd i'r Coleg. Gwrthodai Phillips ymddiheuro a gorchmynnwyd yr Ysgrifennydd i'w hysbysu na châi ei dderbyn yn ôl i'r Coleg heb lofnodi ymddiheuriad yn dweud, 'Yr wyf drwy hyn yn mynegi fy ngofid am dorri rheolau'r Coleg ac yn addo glynu wrthynt yn y dyfodol.' Gwrthododd Phillips wneud, ond mae nodyn wedi ei ychwanegu ar ymyl y cofnodion yn dweud iddo blygu drannoeth, 8 Chwefror, a'i lofnodi.[47]

Ond yr oedd ceryddon awdurdodau'r Coleg ymhell iawn o feddyliau'r bechgyn yng nghanol y berw diwygiadol yn Llannerch-y-medd. O fewn tridiau yno gwelsant gynifer â 112 yn cael tröedigaeth ac yn ymuno â'r eglwysi. 'Bu dyfodiad y Parch. R. B. Jones, Porth, a'r myfyrwyr o Fangor, yn rhywbeth nad anghofir byth mohono', meddai'r *Herald*.[48] Yr oedd y myfyrwyr eu hunain yn gymaint o gyfryngau diwygiad ag R. B. Jones ei hun. Fore Sul, 22 Ionawr, yr oedd un o fyfyrwyr Coleg Bala-Bangor yn pregethu i'r Annibynwyr (a oedd yn cyfarfod ar y pryd nid yn y capel ond yn y Neuadd). Lediodd emyn, darllenodd a lediodd yr ail emyn. A phan oedd y gynulleidfa'n canu hwnnw, torrodd yr argae 'a chanu, gweddïo, wylo a diolch oedd i'w glywed trwy'r holl adeilad'. A dychwelwyd pedwar.[49]

Yr oedd David Hopkin, gweinidog y Bedyddwyr yn Llannerch-y-medd, fel ei gyfaill David Lloyd, Caergybi, yn ei waith yn bedyddio dychweledigion yn y cyfnod hwn. Ac y mae pob tystiolaeth yn dangos fod yr oedfeuon bedydd trwy drochi'n rhoi gwefr neilltuol i'r cannoedd edrychwyr yn ystod cyfnod y Diwygiad. Yr oedd hynny'n neilltuol wir am y cyfarfod pan weinyddodd David Hopkin sacrament y bedydd ar George Jones, Trefor, Sir Fôn. Argyhoeddwyd George Jones mai tystiolaeth y Bedyddwyr oedd yn gywir ar fater bedydd credinwyr, yn ogystal ag ar fedyddio trwy drochiad. Er hynny, yr oedd yn gysur mawr i Tecwyn Evans,[50] a oedd yn bresennol yn y gwasanaeth, nad oedd George Jones yn bwriadu newid ei enwad! Wesla ydoedd, ac arhosodd i roi gwasanaeth mawr i'r Wesleaid ym Môn ar ôl hyn.[51]

Pan aeth R. B. Jones a'r myfyrwyr i Amlwch, yr oeddynt braidd yn siomedig. Yn wir, adroddir fod R. B. Jones yn union 'fel petai wedi monni' pan gynhaliai oedfa yn y Capel Mawr ar nos Lun, Ionawr 30.[52] Esboniodd Thomas Evans iddo nad oedd cymaint ag un o bob ugain yn y gynulleidfa heb fod yn 'broffeswr', ac ychwanegodd Owen Hughes fod dros 100 wedi ymuno â'r eglwysi yn ystod cenhadaeth Joseph Jenkins ychydig ddyddiau ynghynt.[53] Y gwir amdani oedd fod y Diwygiad yn cerdded yn rymus yn Amlwch ers dyddiau diwethaf yr hen flwyddyn. Yr oedd cyfarfodydd gweddi dechrau 1905 yn hynod am faint eu cynulleidfaoedd. Ar ben hynny, ceid cyfarfodydd y dyddiau dilynol ym mhob capel ac yn Eglwys St. Eleth bob nos o'r wythnos, ac ar nos Sadwrn, 1 Ionawr, cafwyd rhywbeth tebyg i uchafbwynt gyda chyfarfod enfawr am 6.30 ar y sgwâr. Y nos Fercher dilynol yr oedd Joseph Jenkins a 'dwy efengyles' gydag ef yn cynnal oedfa yn y Capel Mawr, ac yr oedd y cyfarfodydd nos Wener wedyn hyd yn oed yn fwy trawiadol. Am 5.30 cyfarfuwyd ar y sgwâr ac ar ôl canu nifer o emynau gorymdeithiwyd i'r Capel Mawr a chynnal cyfarfod gweddi yno o dan arweiniad yr 'efengylesau' – Miss Maud Davies a Miss Florrie Evans, yn ôl pob tebyg.[54] Yna pregethodd Jenkins am 5.45, ond parhaodd y cyfarfod ar ôl iddo ef orffen nes oedd yn un o'r gloch y bore a dychwelwyd 20.[55] Nid drwg, efallai, fydd cael cipolwg ar ddull Joseph Jenkins o gynnal oedfa ddiwygiadol. Nos Sadwrn, 14 Ionawr, yr oedd yn y Tŵr-gwyn, Bangor. Dyma'r disgrifiad,

> Dull Mr Jenkins yw holi'r gynnulleidfa, gofyn i bawb sy'n grefyddol godi ar eu traed, neu i bawb sy'n awyddus am gael eu hachub wneyd hyny, ac yna, troi yn hyf ar y gynnulleidfa. Nos Sadwrn, gofynodd i bawb oedd yn fodlon i gyffesu Crist yn gyhoeddus fynd ymlaen i'r Set fawr i wneyd hyny. Buwyd yn hir yn ddistaw, a neb yn myn'd, ac edliwiodd y diwygiwr i'r bobl gymaint gwell oedd Amlwch na Bangor. Nid aeth neb ymlaen er hyny, a gofynodd Mr. Jenkins i'r gynnulleidfa ganu emyn. Canwyd emyn, ac ar ôl hyny, aeth amryw yn mlaen, a gweddiasant yn afaelgar dros ben.[56]

Ar ôl i Jenkins adael Amlwch, parhawyd yr ymgyrch yn y dref o dan arweiniad y Parch. J. P. Roberts, Wrecsam.[57] Felly, ar y gorau, ni allai R. B. Jones obeithio gwneud llawer mwy na lloffa gweddill y cynhaeaf. Ond wedyn, yr oedd angen gwneud hynny. Ac nid oedd ei oedfeuon yn ddieneiniad o bell ffordd. Cofir yn arbennig am oedfa hynod ddylanwadol o'i eiddo yng nghapel bach Bethania, Llaneilian, ddydd Mawrth, 24 Ionawr.[58]

'Ynys i Grist'

Nid oes amheuaeth am y dylanwad mawr a gafodd ymgyrchoedd Joseph Jenkins ac R. B. Jones yng Nghaergybi, Llannerch-y-medd ac Amlwch, a'r ardaloedd cylchynol. Ond nid yw'r gweithgarwch hwn yn dihysbyddu o bell ffordd hanes y Diwygiad ym Môn yn wythnosau agoriadol 1905. I'r gwrthwyneb, y mae'r dystiolaeth yn dangos fod i'r Diwygiad yn rhannau eraill yr Ynys lawer canolfan a llawer arweinydd. Gellir casglu at ei gilydd nifer o dystiolaethau i enghreifftio'r gosodiad hwn. Ym mhythefnos cyntaf y flwyddyn gwelwyd 'golygfeydd cynhyrfus' yng Nghaergeiliog, y Fali a Biwmares.[59] Ym Mrynsiencyn, yn ôl y gweinidog, Thomas Hughes, torrodd yr argae am naw o'r gloch y bore, ddydd Calan 1905.[60] Pan oedd y Parch. Joseph T. Davies, Caergybi, ar ei ffordd i bregethu yn Bozrah, penderfynodd alw nos Sadwrn, 7 Ionawr, yn Seilo, Llaneilian, lle'r oedd y bobl ifainc yn cynnal cyfarfod gweddi. Fe 'dorrodd yr argae yn llawn ffrwd lifeiriol' a bu'n orfoleddu yno hyd un ar ddeg y nos.[61] Yn Niwbwrch dechreuodd y Diwygiad mewn cyfarfod gweddi pobl ifainc am naw o'r gloch nos Fawrth, 3 Ionawr. Er hynny, bu cyfarfod am naw bob nos – i ddathlu union awr y tywalltiad – a rhwng 300 a 400 yn bresennol. Erbyn 15 Ionawr cyfrifid 15 o ddychweledigion. Yn ychwanegol, cynhaliai'r merched eu cyfarfodydd eu hunain yn y prynhawn gyda'r gynulleidfa'n amrywio o 60 i 100. Ac yn yr wythnos oedd yn gorffen 14 Ionawr bu cyfres o gyfarfodydd pregethu yno gyda'r Parchedigion J. T. Job a William Thomas (Llanrwst) yn gwasanaethu. Yn ogystal â'r cyfarfodydd yng nghapel y Methodistiaid, ceid cyfarfod diwygiadol bob nos yn eglwys y plwyf.[62] Yr oedd Y Gaerwen hefyd yn oddaith gan y Diwygiad. Dechreuodd mewn cyfarfod nos Iau, 5 Ionawr. Cymerodd deunaw ran gyhoeddus, ieuenctid gan fwyaf a chwech ohonynt yn ferched. Ar ôl hynny parhawyd i gynnal cyfarfodydd yn feunyddiol, pob capel yn cymryd ei dro, a'r merched yn cynnal cwrdd gweddi iddynt eu hunain yn y prynhawniau.[63] Yn eglwys y plwyf hefyd yr oedd y rheithor, y Parch. G. W. Griffith, gyda chymorth ei gurad, y Parch. T. W. Griffith, yn cynnal cyfarfod bob nos a 'llawer yn ymuno' ynddynt.[64] Yn eglwys y plwyf Llangefni yn ogystal yr oedd y rheithor yn cynnal cyfarfodydd diwygiadol, gan roi cyfres o anerchiadau ar bynciau fel 'Ffydd', 'Edifeirwch', 'Gobaith' ac yn y blaen.[65] Yr oedd y Diwygiad wedi cyrraedd Moelfre erbyn canol Chwefror, ac un o'r cyfarfodydd mwyaf cofiadwy oedd hwnnw a gynhaliwyd gan y Parch. E. R. Thomas (Bethel, Arfon) a Miss Parry (Llinos y Bryn, Bethesda) yng nghapel Carmel ar 16 Mawrth.[66] Ond ymhell cyn hynny, erbyn y drydedd wythnos yn Ionawr, yr oedd *Y Clorianydd* yn cyhoeddi, 'y mae'r hen sir bron o gwr i gwr dan y dylanwadau dwyfol'.[67] Yn ddigon dealladwy, mae tuedd yn adroddiadau'r papurau newydd i bwysleisio'r cyfarfodydd mwyaf cyffrous. O hyd ac o hyd down ar draws dywediadau fel 'torrodd yr argae' neu 'torrodd y cwmwl', gan nodi'r diwrnod a'r awr y cyrhaeddwyd yr uchafbwynt hwn. Ond ni ddylid diystyru'r cannoedd cyfarfodydd oedd yn ei ragflaenu – cyfarfodydd tawel ond dwys. A'r rhain yn cael eu cynnal trwy'r Ynys benbaladr ddiwrnod ar ôl diwrnod tros wythnosau olaf 1904 a thri mis cyntaf 1905. Mae'n cynrychioli canolbwyntio digyffelyb ar faterion ysbrydol gan filoedd lawer o bobl. Hawdd y gellir deall beth oedd gan Elfed pan ddywedodd yn niwedd Chwefror fod 'Môn bron â bod yn ynys i Grist.'[68]

Paratoi ar gyfer Evan Roberts

Yr oedd un o bobl Llannerch-y-medd yn dweud fod adfywiad cydenwadol wedi dechrau yno 'cyn bod sôn am Evan Roberts nac R. B. Jones'[69] ac yr oedd hyn yn wir am Ynys Môn yn gyffredinol, yn yr ystyr nad oedd wedi ei ysbrydoli gan bresenoldeb personol y naill na'r llall ohonynt. Ond gyda'r sylw enfawr a roddid i Evan Roberts yn y wasg, yr oedd yn anorfod bod amryw yn awyddus am ei weld yn dod i Sir Fôn. Yr oedd John Williams, 'Brynsiencyn', wedi bod â diprwyaeth i lawr i Ddowlais ganol Ionawr i wahodd Evan Roberts i gynnal ymgyrch yn Lerpwl.[70] A phenderfynodd dirprwyaeth o arweinwyr Cyfarfod Misol Môn wneud yr un peth. Aethant i lawr (i Faesteg, yn ôl pob golwg) i'w weld. Aelodau'r ddirprwyaeth oedd John Williams (Caergybi), John Evans (Caergybi), Llywelyn Lloyd (Bethel) a Hugh Williams (Amlwch) – pedwar gweinidog amlwg. Fe'u cyflwynwyd i'r Diwygiwr gan y Parch. Mardy Davies a weithredai fel ei ysgrifennydd.[71] Fel y cawn weld yn ôl llaw, yr oedd rhywbeth anghyffredin o gwmpas presenoldeb corfforol Evan Roberts yn y cyfnod hwn. Yr oedd John Williams, Brynsiencyn, wedi ei argyhoeddi fod hyd yn oed ysgwyd llaw â'r Diwygiwr yn rhoi gwefr i ddyn. Pan aeth â'r ddirprwyaeth i'w weld yn Nowlais, trefnodd i bob un ohonynt gael ysgwyd ei law, ac yna ar y ffordd allan gofynnai'n ddistaw iddynt, 'Ddaru chi deimlo rhywbeth?'[72] Dywedir rhywbeth tebyg am y ddirprwyaeth o Fôn. 'Teimlent ar unwaith eu bod yn ngwydd rhyw nerth ysbrydol annghyffredin; teimlent ei fod wedi ei feddianu'n llwyr gan Ysbryd Duw'.[73] Ar ôl i'r gweinidogion ofyn iddo a ddeuai i Fôn, mynnodd weddïo ac ar ôl gwneud hynny dywedodd, 'Mae yr Arglwydd yn fodlon i mi ddod'. Gofynnodd Hugh Williams iddo, 'A oes gennych ryw genadwri i bobl Môn?' Dechreuodd Evan Roberts weddïo eto ac yna dywedodd, 'Y mae'r genadwri'n dod – dyma hi: "Cofiwch y Gwaed!"' Cydiodd yn llaw dde Hugh Williams a dechreuodd feichio crïo, a chrïodd aelodau'r ddirprwyaeth gydag ef. A thystiai Hugh Williams 'iddo gael ei drydanu drwyddo pan gyffyrddodd Mr Roberts â'i law'.[74] Erbyn dechrau mis Mawrth yr oedd John Williams (Caergybi) wedi cael llythyr gan Mardy Davies yn dweud fod Evan Roberts yn derbyn y gwahoddiad i Fôn.[75]

Yr oedd llaw John Williams, Brynsiencyn, yn amlwg yn y symudiadau hyn. Ysgrifennodd lythyr, dyddiedig 5 Mai 1905, at Richard Matthews, Pen-sarn, ysgrifennydd y Cyfarfod Misol ar y pryd, yn dweud, 'Yn ddistaw bach, yr wyf wedi tynnu cynllun o daith i Mr Evan Roberts ym Môn . . . '[76] Ac yn ei gyfarfod yn niwedd Mai, mabwysiadodd y Cyfarfod Misol gynllun i'r Diwygiwr dreulio mis yn ymgyrchu ym Môn.[77]

Gadawodd Evan Roberts Lerpwl ar 19 Ebrill ar ôl ei genhadaeth gynhyrfus yno, ac aeth i fwynhau ychydig seibiant yn y Royal Hotel, Capel Curig.[78] Bu yno am y rhan orau o fis cyn dechrau ei waith yn Sir Fôn.

Ar Mai 16 gadawodd Gapel Curig.[79] Aeth i lawr i Fetws-y-coed i ddal y trên. Teithiodd oddi yno mewn cerbyd ail ddosbarth, gyda John Williams, Brynsiencyn, a Tom Davies ('Awstin' y *Western Mail*) a hynny mewn adran o'r cerbyd a oedd wedi ei neilltuo ar eu cyfer. Ar stesion Gaerwen yr oedd ugain munud i aros am y trên i Amlwch a manteisiodd John Williams ar y cyfle i gyflwyno'r Diwygiwr i'r aelod seneddol, John Bryn Roberts.[80] Cyrhaeddodd stesion Rhos-goch am 7.30 gyda'r nos. Yr oedd cannoedd yn disgwyl amdano fel y cafodd drafferth i gyrraedd y trap a cheffyl oedd i'w gario weddill y daith. Mynnodd John Williams iddo ddisgyn yn Llanfechell i fynd i weld hen stydi John Elias.[81] Ac yna, ymlaen â hwy i Gemais. Yr oedd i letya ym mhlas Yr Wylfa,[82] cartref David Hughes, tad-yng-nghyfraith John Williams, Brynsiencyn.[83] Yn araf y teithiai'r cerbyd oherwydd fod cannoedd yn sefyll ar hyd y ffyrdd culion i gael golwg ar y Diwygiwr, a moesymgrymai yntau mewn ffordd dywysogaidd i'r dde a'r chwith wrth basio.[84] Y cynllun oedd iddo dreulio tair wythnos yn ymlacio cyn i'r ymgyrch ddechrau. Yn y cyfamser, yr oedd y disgwyliadau'n codi a'r wasg yn gwneud ei gorau i'w cyffroi. Anrhegwyd darllenwyr *Y Clorianydd* â darlun o Evan Roberts gyda rhifyn 25 Mai. Nid oedd y math yma o beth yn ddieithr o gwbl. Yn niwedd Mawrth yr oedd ffyrm Pierce a Williams, Caernarfon, yn cynnig, 'Rhoddi'r Darlun Mawr o Mr Evan Roberts, Y Diwygiwr, i Bawb a Brynant werth 7/6 ac uchod'.[85] Mae blas llai annymunol ar yr hysbyseb, 'Ar werth yn Swyddfa'r CYMRO, Botwm-ddarlun campus o'r Diwygiwr. Ceiniog yr un'.[86]

Evan Roberts ym Môn: yr Wythnos Gyntaf

Amlwch

Yng nghanol disgwyliadau mawr, felly, yr agorodd ymgyrch Evan Roberts yn Amlwch, ddydd Mawrth, 6 Mehefin 1905. Y diwrnod cynt cyrhaeddodd Mary Roberts, chwaer y Diwygiwr, ac Annie Davies, Maesteg,[87] i gynorthwyo yn y gwaith.[88] Trefnwyd i'r oedfa nos Fawrth ddechrau am saith. Erbyn tri y prynhawn yr oedd pobl yn cychwyn am gapel Bethesda (M.C.) ac yr oedd yn orlawn erbyn pump. Argraffwyd tocynnau mynediad ar gyfer y cyfarfodydd – 1200 ar gyfer pob cyfarfod a lliwiau gwahanol ar gyfer y tair noson. Yr oedd chwech o heddgeidwaid wedi eu hanfon i gynorthwyo'r ddau oedd yn Amlwch i gadw trefn ar y torfeydd.[89] I aros i'r Diwygiwr gyrraedd, cynhaliwyd cyfarfod gweddïo a chanu o dan lywyddiaeth y Parch. Thomas Evans, Amlwch. Eisoes yr oedd yr awyrgylch yn gynhyrfus a disgwylgar.[90] Daeth Evan Roberts i mewn tua 7.30, yng nghwmni John Williams, Brynsiencyn, Mary Roberts ac Annie Davies. Fel yr oedd Evan Roberts yn esgyn i'r pwlpud dechreuodd gwraig ganu'n dyner, 'Os caf Iesu, dim ond Iesu'. Wedi i'r canu beidio, siaradodd Evan Roberts am ryw hanner awr a gofynnodd i'r gynulleidfa ganu, 'O Arglwydd, galw eto / Fyrddiynau ar dy ôl . . . ' Wedyn canodd Annie Davies yr emyn a gysylltid yn arbennig â'i henw hi, emyn Gwilym Hiraethog, 'Dyma gariad fel y moroedd . . . '

Tua naw o'r gloch, cododd John Williams[91] i brofi'r cyfarfod. Dyma'r term a ddefnyddid am geisio ymateb y gynulleidfa a darganfod pwy oedd naill ai o dan argyhoeddiad neu wedi ei argyhoeddi. Pan oedd John Williams yn hel ati i wneud hyn, darllenodd Evan Roberts Ddameg y Ffigysbren (Luc 13:6-9) a gwnaeth sylwadau arni, fel hyn.

> Yr ydych wedi eich plannu yn y Winllan, nid wedi dod yno trwy ddigwydd, ond wedi eich plannu. Yr ydych wedi eich plannu yn y Winllan – gwlad y breintiau mawr. A daw'r Arglwydd i edrych – ai am ddail? Nage: am ffrwyth. Beth yw'r gair nesaf? "Torr ef i lawr" – sŵn y fwyell? Nage'n hytrach, sŵn eiriolaeth – "Gad ef" – am un cyfleustra eto – y flwyddyn hon. Torr ef i lawr!, meddai Awdurdod. Gad ef!, meddai Eiriolaeth. Dywed rhai nad ydynt yn teimlo; ond nid dyna yw cwestiwn y Beibl, ond "A wyt ti'n credu?" Os aroswch ichwi deimlo, efallai y bydd yn rhaid ichwi deimlo i dragwyddoldeb. "Ha," meddi, "hwyrach y bydd fy nghyfeillion yn chwerthin am fy mhen." Gwell i gyfeillion chwerthin am dy ben nag i gythreuliaid chwerthin . . .[92]

Mae'r paragraff yn rhoi syniad reit eglur o ddull Evan Roberts o siarad ac mae'n rhaid cofio fod y brawddegau toredig yn anorfod yng nghanol y berw teimladol yn yr oedfa a'r mynegiadau parhaus o gydsyniad a gorfoledd. Er taerni'r apêl, ychydig oedd rhif y dychweledigion am nad oedd llawer yno heb fod yn aelodau eglwysig.[93] Er hynny, dychwelodd Evan Roberts i blas Yr Wylfa yng ngherbyd John Williams dan ganu emynau bob cam o'r ffordd.[94]

Nos drannoeth, nos Fercher, 7 Mehefin, yr oedd y gynulleidfa fawr yn canu 'Gwaed y Groes sy'n codi i fyny . . . ' pan gyrhaeddodd Evan Roberts. Un o'i hoff arferion oedd cychwyn anerchiad trwy sylwi ar rywbeth amgylchiadol oedd yn gysylltiedig â'r oedfa. Aeth yn syth i'r pwlpud y tro hwn a dechrau sôn am yr 'awel o Galfaria fryn'. Aeth ymlaen i ddweud pa mor odidog oedd hi mai o Galfaria y deuai'r awel yn hytrach nag o Sinai. Yr oedd hyn yn ormod i lawer yn y gynulleidfa a thorrodd yn gymaint o orfoleddu a gweddïo fel y bu'n rhaid iddo eistedd. Toc, canodd Annie Davies, 'Cof am y cyfiawn Iesu . . . ' gydag eneiniad neilltuol nes tawelu'r cynnwrf.

Pan gododd John Williams i brofi'r cyfarfod, gofynnodd i'r gynulleidfa am adnodau. A daethant yn gawod fras o bob rhan o'r capel. Cyn bo hir adroddodd rhywun yr adnod, 'Nid oes gan hynny yn awr ddim damnedigaeth i'r rhai sydd yng Nghrist Iesu . . . ' Gwnaeth argraff neilltuol ar John Williams a gorchmynnodd y gynulleidfa i'w chydadrodd deirgwaith.[95] Yna adroddodd Mary Roberts, chwaer y Diwygiwr, ddameg y Mab Afradlon ac ychwanegu sylwadau addas arni yn Saesneg.

Eisoes yr oedd un o nodweddion arbennig cyfarfodydd diwygiad y Gogledd yn dod yn amlwg. Fel hyn y gesyd gohebydd *Yr Herald Cymraeg* y peth,

> Un atdyniad mawr, mwy na dim welais yn y cyrddau yn y De, oedd y lle amlwg a roir i weddïau yn nghyrddau

diwygiad y Gogledd. Nid oedd lle i'r gŵyn gyffredin a glywid am gyfarfodydd y Deheudir, sef 'fod gormod o ganu yno'.[96]

Nos Iau, 8 Mehefin, diwrnod pen-blwydd Evan Roberts yn 27 oed, cynhaliwyd yr olaf o gyfarfodydd Amlwch ac er cymaint a welodd y dref o gynnwrf ysbrydol hyd yma, yr oedd y cyfarfod hwn yn fwy cynhyrfus na'r un ohonynt. Am saith yr oedd i ddechrau, yn ôl y trefniant, ond erbyn pump yr oedd yr awel eisoes yn chwythu'n gryf ac wyth neu naw'n cymryd rhan yn gyhoeddus yr un pryd.[97] Codai'r gynulleidfa ar ei thraed a'r 'dagrau yn afonydd ar hyd gruddiau' degau ohonynt. O bob cornel o'r capel deuai bloeddiadau, 'Diolch', 'Haleliwia', a 'Bendigedig'. 'Caed neithiwr,' meddai un gohebydd, 'olwg ar yr hen "orfoledd" y clywsom lawer o sôn amdano'.[98] Er hynny, cafodd gweinidog Bethesda, Owen Hughes, egwyl i ofyn 'am weddiau y gynnulleidfa ar ran achubiaeth pobl ieuainc goleuedig Cymru, y rhai oeddynt hyd yn hyn heb deimlo grym yr adfywiad.'[99]

Os oedd presenoldeb yr Ysbryd i'w deimlo'n rymus cyn saith o'r gloch, yr oedd yn fwy fyth felly ar ôl i Evan Roberts gyrraedd. Yn ei sylwadau aeth ar ôl dau beth yn fwyaf arbennig. Un oedd 'gwaith'. Bu ganddo lawer i'w ddweud ar y pen hwn yn ystod ei ymgyrch ym Môn. 'Nid yw gweiddi yn hanfodol i iachawdwriaeth,' meddai. Rhaid wrth waith. 'Dyma'r amod os ydym am gael yr Iesu'n frawd – gwneuthur ewyllys y Tad.' Hwyrach y gellir esbonio rhediad ei feddwl fel hyn. Nid pregethu cyfiawnhad trwy weithredoedd yr oedd. Nid dweud mai'r wobr am wneud gweithredoedd da oedd cael

Iesu'n frawd. Fel y dywedai mor aml, trwy ffydd y cyfiawnheir pechadur gerbron Duw, trwy gredu. Ond mae ffydd wirioneddol yn esgor ar waith, ac yn y gwaith hwnnw deuir i adnabod Iesu fel brawd. Ond mae'n amlwg hefyd, a barnu oddi wrth ei ddatganiadau ym Môn, fod Evan Roberts yn cysylltu'r gair 'gwaith' mewn ffordd anghyffredin ag addoli. Hanfod gwaith i'r Cristion yw ufudd-dod personol. Mewn addoli, felly, dod i 'weithio' y mae Cristnogion, nid dod i fwynhau, nac i deimlo, nac i syllu'n oeraidd a chwilfrydig ar beth mae pobl eraill yn ei wneud, ond dod i 'weithio' trwy ufuddhau'n bersonol a dibetrus i gymhellion yr Ysbryd Glân. Dyma, mae'n ymddangos, wreiddyn pwyslais Evan Roberts ar i bobl gymryd rhan bersonol a bywiog yn yr oedfa. Ofnai ffurfioldeb am ei fod yn troi pobl yn wylwyr yn hytrach na chyfranwyr egniol i'r 'gwaith'. Yr ail fater y siaradodd Evan Roberts amdano yn y cyfarfod olaf yn Amlwch oedd 'y nefoedd', ac wrth geisio disgrifio ei gogoniannau, aeth ei deimladau'n drech nag ef. Dywedodd fod y pethau hyn 'bron yn rhy ddwyfol i siarad amdanynt', ac eisteddodd.

Cafodd effaith ddofn ar y gynulleidfa. Canodd Annie Davies, 'Dyma Feibl annwyl Iesu', ac yna torrodd yr argae. Lluosogai'r gweddïau a'r ocheneidiau. Pedwar neu bump oedd yn gweddïo ar y dechrau, ond buan ceid ugeiniau wrthi, a rhagor na hynny'n gweiddi a gorfoleddu. 'Yr oedd Evan Roberts yn chwerthin yn galonog wrth edrych ar yr olygfa, ac yr oedd yn hawdd gweled ei fod yn mwynhau ei hun.' Ond yr oedd lle i bryder hefyd oherwydd fod rhai'n dechrau colli gafael ar bob hunanlywodraeth, heb eithrio John Williams a oedd 'wedi hollol anghofio ei hun'.[100] Yr oedd y cynnwrf yn mynd braidd yn frawychus a'r sŵn yn fyddarol, nes i rywrai ddechrau canu 'Dyma gariad fel y moroedd'. Araf a fu'r emyn yn ennill tir ond o dipyn i beth chwyddodd y canu nes bod pawb yn ymuno ynddo.[101] Mae hyn yn enghraifft dda o ddefnyddio'r emyn mewn cyfarfodydd diwygiad oedd ar fin mynd yn gwbl afreolus fel moddion i ail-sefydlu trefn ac i dawelu teimladau yn hytrach na'u cyffroi.

Cemais

Nos Wener, 9 Mehefin, cafodd Evan Roberts brofiad nas cafodd erioed o'r blaen, sef arwain cyfarfod 'ar y maes'. Nid oedd yn cynhesu at drefniant fel hyn; teimlai ei fod yn gallu gwneud amgenach cyfiawnder â'i genadwri gyda chyfarfod o dan do. Ond yr oedd Môn yn hen gyfarwydd, byth oddi ar ddyddiau John Elias, â chyfarfodydd mawrion ar y maes. A sut bynnag, nid oedd obaith cael lle i'r tyrfaoedd a oedd yn debyg o ddod i'r cyfarfod yng Nghemais y tu mewn i gapel Bethesda, er bod hwnnw'n cynnwys 550 o eisteddleoedd. Felly codwyd llwyfan ar gae cyfagos a dwyn meinciau a chadeiriau o'r capel ac o'r tai o amgylch. A doeth oedd y trefniant oherwydd, yn ôl yr amcangyfrifon, yr oedd rhwng 3000 a 4000 yn y cyfarfod.[102] Yr oedd yn ddiwrnod heulog, braf, ac yr oedd pobl yn dechrau crynhoi am ddau o'r gloch er mai am bump yr oedd y cyfarfod. Adlewyrchid y diddordeb cydwladol yn y Diwygiad ym mhresenoldeb cwmni o bobl o Paris, yn ogystal â rhai o Iwerddon ac o'r Alban. Cyn bo hir yr oedd llu'n mynd yn ddigymell i'r llwyfan i weddïo. 'Gweision ffermydd a chrefftwyr ieuainc oedd llawer o'r rhai oedd yn cymeryd rhan'.[103] Ac nid oedd neb yn amlycach ei gyfraniad na William Hughes, Cae Star, Bethesda, yr amlycaf o'r gorfoleddwyr yn ystod y Diwygiad ym Môn.[104] 'Haws cadw i lawr ager dwfr berwedig', meddai Ap Huwco (W. H. Owen, Cadeirydd Cymanfa Bedyddwyr Môn ym 1927), 'na chadw ysbryd tanllyd y brawd hwn yn llonydd'.[105]

Wedi i Evan Roberts gyrraedd y cyfarfod a chymryd ei gadair ar y llwyfan, yr oedd yn amlwg ei fod mewn cynnwrf ysbrydol arteithiol,

> . . . golchir ei ruddiau llwydion gan ddagrau ddirwesgir allan gan ymdrech ei enaid sanctaidd, a theimlir yn ei eiriau gryndod ei deimlad drylliog. Ymdrecha lefaru, metha, tyr i lawr yn hollol; ac O! olygfa anorchfygol, ei weled wedi ei orchfygu gan ing ei ysbryd, ac yn dolefain allan yn ngwasgfa ei deimladau cynhyrfus, "O Dduw, dere i'r cyfarfod yma!"[106]

Yna gwelwyd digwyddiad oedd yn sicr o'i atgoffa ef am yr oedfa honno ym Mlaenannerch pan loriwyd ef. Aeth gŵr ifanc i ymyl Evan Roberts ar y llwyfan a syrthiodd yn sypyn diymadferth wrth y bwrdd yno. Rhoddodd y Diwygiwr ei fraich o dan ei ben a sibrwd rhywbeth yn ei glust. Ochneidio a griddfan a wnâi'r bachgen ond llwyddodd Evan Roberts i'w ddadebru a'i roi i eistedd ar gadair. 'Mae ein brawd mewn ing,' meddai, a gofynnodd i'r dorf ganu, 'Y Gŵr a fu gynt o dan hoelion . . . ' ac o dipyn i beth daeth y llanc ato'i hun. Ymddengys mai un nodedig am aflendid ei dafod ac oferedd ei fywyd ydoedd.[107]

Evan Roberts ym Môn: yr Ail Wythnos

Llannerch-y-medd

Gwnaethpwyd paratoadau manwl ar gyfer ymweliad Evan Roberts â Llannerch-y-medd, y Sul, 11 Mehefin. Cymerwyd rhan yn y berw diwygiadol yn y Llan gan rai o arweinwyr bywyd y sir, pobl fel Thomas Williams, cadeirydd y Cyngor Sir, ac Alexander McKillop. Codwyd Pwyllgor Trefnu ar gyfer yr ymweliad a chynhwysai, ymhlith eraill, yr Arolygydd Prothero. Ef, yn wir, a fu'n gyfrifol am holl drefniadau'r heddlu yn ystod ymgyrch Evan Roberts. Newydd ddechrau ar ei waith fel Arolygydd oedd Robert Humphrey Prothero, oherwydd yn Ionawr 1904 y symudodd o'i waith fel ditectif gyda Heddlu Llundain i gymryd at ei swydd ym Môn. Yr oedd ei dad, Lewis Prothero, yn brif gwnstabl o 1894 hyd 1918, yr Ymneilltuwr cyntaf i ddal y swydd ac yn flaenor o bryd i'w gilydd mewn amryw eglwysi yn Sir Fôn.[108]

Yng nghapel Methodistiaid Calfinaidd Llannerch-y-medd yr oedd oedfa'r bore, o dan lywyddiaeth y gweinidog, Robert Thomas.[109] Yr oedd y capel yn orlawn, gyda chynulleidfa o 1100, a mynediad trwy docyn.[110] Unwaith eto, yr oedd yr elfen gydwladol yn amlwg gyda phobl o Loegr, yr Alban, Iwerddon a Ffrainc yn bresennol. Dechreuwyd yr oedfa am 8.30 gyda'r Parch. J. Evans Owen, Llanberis, yn darllen.[111] Gwelwyd un o nodweddion mwyaf trawiadol y Diwygiad yn y cyfarfod hwn oherwydd meddiannwyd yr hanner cyntaf yn llwyr gan ferched ifainc. A rhyfedd yng nghanol Cymreictod Môn oedd clywed un ohonynt yn gweddïo gydag angerdd mewn Ffrangeg. Tua deg o'r gloch, yr oedd y gynulleidfa newydd orffen canu, 'Duw mawr y rhyfeddodau maith . . . ' pan ddaeth Evan Roberts i mewn. Lediodd y llywydd yr emyn, 'Y Gŵr wrth ffynnon Jacob . . . ' ac yna cododd y Diwygiwr a siarad yn danllyd gan annog y gynulleidfa i symud bob rhwystr oddi ar ffordd yr Ysbryd Glân. A gorffennodd trwy orchymyn canu, 'O! anfon Di yr Ysbryd Glân . . . ' Ac yn wir, yr oedd y tân yn disgyn. Meddai un gohebydd, 'teimlid cynhyrfiadau rhyfedd yn y cyfarfod; a chlywid rhai yn gweddïo ar hyd y capel, a'r lleill yn gweiddi, 'Diolch' ac 'Amen' nes yr oedd y lle yn diaspedain'.[112]

Dechreuwyd cyfarfod nos Sul am bedwar o'r gloch ond ni chyrhaeddodd Evan Roberts (a oedd yn lletya dros yr ymweliad gyda'r gweinidog) tan chwech. Yr oedd y cyfarfod hwn yn arbennig o angerddol fel bod rhai yn y gynulleidfa'n cael eu hysgwyd y tu hwnt i fesur gan y dylanwadau. Tynnodd un llanc ar y galeri sylw arbennig. Yr oedd yn amlwg iawn mewn llesmair ac yn y cyflwr disymud hwnnw am y rhan orau o ddwyawr. Cododd fwy nag unwaith, fodd bynnag, i wneud cyfraniad i'r oedfa ond i bob golwg ni wyddai ddim oddi wrtho'i hun. Yn y cyfamser canwyd nifer o emynau'r Diwygiad ac ar eu hôl cododd y llanc ar ei draed eto a llwyddo i weddïo er nad oedd ei leferydd yn eglur. Ond bu'r effaith yn rhwygol ar deimladau'r gynulleidfa oherwydd erbyn iddo orffen yr oedd pawb yn foddfa o ddagrau. Arall oedd y dylanwad ar lanc ifanc ar lawr y capel. Disgynnodd hwnnw yn ei sêt gan ddolefain. Llwyddodd i godi ar ei draed ond disgynnodd drachefn 'yn berffaith ddiymadferth'. Aeth y Diwygiwr ato ac, wedi iddo ryddhau ei ddillad, sibrydodd rhywbeth yn ei glust a dychwelodd i'r pwlpud yn wên i gyd.

Yr oedd anerchiad Evan Roberts y noson honno'n cyffwrdd ag un o'i hoff byncïau – rhyddid yr Ysbryd Glân. 'Gwyliwn, gyfeillion,' meddai, 'a ydym yn peidio ceisio torri *plan* i'r Ysbryd, i weithio wrtho. Y meidrol yn ceisio rheoli'r Anfeidrol. Nid dyn, cofiwch, sydd yn rhoi'r tân, ond Duw; ond pan ddêl, fe lysg popeth o'i gylch.' Mae'n werth craffu ar y geiriau hyn i ddeall safbwynt Evan Roberts ei hun. Ei holl bwyslais yw na ellir gorfodi'r Ysbryd trwy unrhyw gynllun nac ystryw. Mae'r cwbl o ras. Ac eto, yr oedd rhywbeth o gwmpas ei bresenoldeb personol ef oedd yn creu berw teimladol digyffelyb. Ac felly yr oedd y tro hwn. Cai'r drafferth fwyaf i fynd trwy ei anerchiad oherwydd fod pobl yn torri ar ei draws gydag adnodau a chyffesiadau, a hynny yn Saesneg yn ogystal ag yn Gymraeg. Yr oedd rhyw lesmair gorfoleddus wedi cydio yn y dorf a channoedd yn chwifio eu cadachau poced.[113] Ac eto, dim ond un a ddychwelwyd yn yr oedfa; yr oedd pawb oedd yno eisoes yn aelodau eglwysig.[114]

Ac nid dyma'r unig gyfarfod diwygiad yn Llannerch-y-medd y noson honno. Yr oedd cynulleidfa'r

Bedyddwyr yn wenfflam mewn oedfa dan lywyddiaeth y gweinidog, David Hopkin, a'r Annibynwyr hwythau yn eu hoedfa yn y Neuadd.[115]

Ddydd Llun, fodd bynnag, cafwyd enghraifft o'r pethau chwithig oedd yn gallu digwydd yn sgîl y Diwygiad. Yr oedd pobl yn dylifo o bob man i'r pentref, ond y trefniant oedd na ellid mynd i'r oedfa yn y capel ond trwy docyn. Ac yn naturiol yr oedd trigolion y lle wedi cipio'r tocynnau i gyd. Aeth y dieithriaid i bwyso arnynt werthu eu tocynnau. Ar y dechrau ai'r tocynnau o law i law am bum swllt (25c). Ond fel y cerddai'r diwrnod ymlaen, codai'r pris, nes cyrraedd pymtheg swllt (75c), a hyd yn oed bunt. Parodd hyn gryn bryder i'r Pwyllgor Trefnu. Ond rhoddwyd terfyn ar yr anweddustra gan Evan Roberts ei hun. Penderfynodd – braidd yn groes i'w deimladau personol – gynnal y cyfarfod nid yn y capel ond ar y maes. Ac felly fu. Amcangyfrifid fod tua 4000 yn bresennol mewn cyfarfod cynhyrfus ddigon er nad oedd mor angerddol â rhai'r diwrnod cynt.[116]

Llanddeusant

Yn Llanddeusant yr oedd Evan Roberts ddydd Mawrth, 13 Mehefin, ac yno gwelwyd mor eiddigeddus ydoedd o ansawdd ysbrydol ei gyfarfodydd. Er bod capel Elim i fod i ddal 560, yr oedd yn amlwg yn rhy fach ar gyfer yr achlysur. Codwyd llwyfan ar gae gerllaw iddo a dechreuodd y cyfarfod am dri o'r gloch. Yr oedd yn brynhawn heulog, digwmwl, a'r olygfa ar y cae'n hyfryd, gyda'r merched yn eu dillad haf a'r bechgyn wedi tynnu eu siacedi oherwydd y gwres. Ond yn ddisymwth daeth storm o fellt a tharanau a rhuthrodd cynifer ag a allai i mewn i gapel Elim. Safai'r gweddill allan yn y glaw yn canu emynau. Erbyn i Evan Roberts a John Williams gyrraedd yr oedd y storm drosodd a buwyd yn cynnal cyfarfod am ryw hanner awr ar fuarth fferm gyfagos. Yna dychwelwyd i'r cae a chafwyd cyfarfod hwyliog a chryn nifer yn gweddïo'n wresog.

Ond yr oedd Evan Roberts yn anfodlon ar y cyfarfod. Ofnai fod llaweroedd yn ei ystyried fel rhyw fath o sioe. Ond ni allai ddadansoddi teimladau'r gynulleidfa. Yr unig beth a wyddai oedd fod rhywbeth o'i le. Eisteddai'n anfoddog a bu'n ddistaw yn hir. Toc, cododd a cheryddu'r gynulleidfa.

> A yw Iesu Grist wedi newid? Os nad yw, pam yr ydych wedi caledu eich calonnau? Nid oes angen ond gwreichionen i roi'r gwasanaeth yn oddaith. Pa nifer ohonoch sydd wedi anufuddhau heno i gymhellion yr Ysbryd? Cannoedd ohonoch, mae'n ddiau, a rhaid fydd i lawer o'r rheini sydd wedi anufuddhau gyffesu hynny, fel y caiff yr Ysbryd ei ogoneddu.[117]

Mae'n weddol amlwg oddi wrth y dystiolaeth fod Evan Roberts yn gwylio fel barcud am arwyddion fod pobl yn ymddwyn yn rhagrithiol, neu'n ffurfiol, neu'n fecanyddol yn y cyfarfodydd. Dichon fod ei gyfeiriad at wreichionen yn tanio cyfarfod yn awgrymu mai ei duedd oedd uniaethu ymateb rhydd i gymhellion yr Ysbryd ag eithafrwydd mynegiant. Ond mae'n amlwg nad oedd yn ddim ganddo atal cyfarfod os synhwyrai fod rhyw atalfa ar fynegiant didwyll. Ac y mae ymateb y dorf yn

Llanddeusant yn awgrymu fod cytgord rhyngddo â hi pan fynegodd ei anfodlonrwydd. Ei hymateb cyntaf, mae'n wir, oedd syfrdandod. Ac yna daeth y ffrwydriad, gyda chyffesion, adnodau, emynau a gweddïau yn dod o bob cwr. A diau fod un ar gyrion y dyrfa wedi rhoi mynegiant i deimlad llaweroedd pan weddïodd, 'Pwy fuasai'n meddwl, O! Arglwydd, fy mod wedi fy nwyn yma i gael fy mhlygu?' Paradocs ganolog dulliau diwygiadol Evan Roberts oedd mai rhyddid yw canlyniad plygu i gymhellion yr Ysbryd ac nid caethiwed. Ar ôl yr egwyl hon o gyfaddef bai, cyhoeddodd y Diwygiwr fod mwyafrif y troseddwyr wedi cyffesu ac y gallai'r cyfarfod fynd yn ei flaen. Ac fe aeth yn ei flaen yn hwyliog ac ildiodd nifer dda cyn ei dynnu i derfyn.[118]

Llanfachreth

Prin bod Evan Roberts wedi cynnal cyfarfod mewn lle rhyfeddach nag y gwnaeth yn Llanfachreth ar ddydd Mercher, 14 Mehefin. Yn Y Briwas y cynhaliwyd hwnnw, yr hen fragty a oedd erbyn hynny'n dechrau adfeilio. Galwai'r drysau y gorffennol i gof, gydag arysgrifau fel 'Beer Storehouse No. 4' a 'Malt House No. 2'. Gwag oedd yr ystafelloedd ers llawer dydd a'r ffenestri wedi colli eu cwareli. Ar y buarth yno yr oedd y cyfarfod i'w gynnal. Hen drol gref oedd y llwyfan a chysgod o frethyn hwyliau wedi ei godi drosti. A bu rhywun, wedi ei fendithio â synnwyr hanes, yn ddigon hirben i glymu darn o hen bwlpud John Elias o gapel Ty'n-y-maen wrth y drol. Yno yr oedd Evan Roberts i draethu.[119]

Dechreuodd pobl gyrraedd yn gynnar y prynhawn, ar

eu traed, ar eu beiciau, ac mewn cerbydau. Yr oedd cynrychiolaeth gref o Gaergybi yno. Rhaid oedd i bawb fynd i mewn trwy borth cyfyng gan gael eu cyfrif bob yn un ac un.[120] Buan iawn y llanwodd yr iard ac yr oedd pob llofft a ffenestr, a hyd yn oed y toeau, yn llawn pobl. Erbyn pump o'r gloch yr oedd y cyfarfod yn ei wres. Cyrhaeddodd Evan Roberts o'r Wylfa yng nghwmni John Williams, Mary Roberts ac Annie Davies. Fel yr oedd yn esgyn i ben y drol, disgynnodd ychydig ddiferion o wlaw. Ar unwaith dechreuodd pobl godi eu 'gwlawlenni'. 'Rhowch hwy i lawr!' meddai John Williams yn awdurdodol. 'Yr ydych fel miloedd o rai eraill trwy'r wlad sy'n codi eu hymbarels i atal bendithion y nefoedd.' Yna lediodd y pennill, 'Marchog, Iesu, yn llwyddiannus . . . ' Ond cyn iddynt ganu, ymyrrodd y Diwygiwr i ddweud, 'Y mae yma gystadleuaeth heno cydrhwng deddf a greddf. Pa un sydd i ennill? Clywch yr adar yn canu. Dyna ichwi ddeddf a greddf yn gytûn. A yw'r adar yn mynd i watwar ein ffydd heno? Mae'r adar yn canu bob un drosto ei hun. Felly rhaid i'n haddoliad ninnau esgyn, nid yn un crynswth, ond o bob calon yn unigol. Mae'n anrhaethol bwysig inni ufuddhau i'r Ysbryd. Mae perygl cadw dim o ogoniant Duw yn ôl yn ein bywyd.' Cyfeiriodd wedyn at yr emyn a adroddodd John Williams a gorchmynnodd ei ganu, ac ar ôl y canu aeth yn weddïo cyffredinol.[121]

Daliodd Evan Roberts ar ei draed am gryn chwarter awr ac yna dechreuodd ymosod ar ragrith. Mae ei eiriau'n dangos pa mor bwysig yn ei genhadaeth oedd yr elfen foesegol. 'Peidiwch a gweiddi "Hosanna" heddiw a'i groeshoelio Ef yfory,' meddai. 'Beth yw anonestrwydd? Croeshoelio Crist. Beth yw cenfigen? Croeshoelio Crist. Beth yw meddwdod? Croeshoelio Crist.' Yna aeth rhagddo i ganmol y Beibl gan ddweud, 'Mae ei wirioneddau'n ffeithiau byw yng Nghymru heddiw.' Ar hynny, cafwyd ugeiniau o weddïau a thystiolaethau trawiadol gan lanciau'r fro i'r ffordd yr oeddynt hwy wedi eu hachub rhag meddwdod ac anfoes trwy gyfrwng y Diwygiad, a'r gynulleidfa'n croesawu'r datganiadau trwy ganu, 'Dyma Geidwad i'r colledig . . . ', 'Gwaed y Groes sy'n codi i fyny . . . ', a 'Coronwch Ef yn ben . . . ' Canodd Annie Davies a darllenodd Mary Roberts yn Gymraeg (dywedir fod ei Chymraeg wedi grymuso'n fawr yn ystod y Diwygiad). Ei darlleniad oedd Eseia 55, a gwnaeth sylwadau wedyn ar yr adnod gyntaf.

Pan aeth John Williams i brofi'r cyfarfod, cafwyd llu o ymatebion, yn eu plith, hynafgwr 82 oed ac un o feddygon yr ardal. Yn y Gogledd, yn wahanol i'r De, yr oedd yn arfer galw allan enwau'r dychweledigion ar goedd a chroesewid yr enwau gyda chymeradwyaeth lafar. Ond yr oedd llawer yn gwrthod codi eu dwylo. Yr oedd hyn bob amser yn peri ing i Evan Roberts. A rhan o'i ddull oedd defnyddio holl rym teimladol ei gyfarfodydd i ddwyn pwysau seicolegol ar y cyfryw rai. Yn Llanfachreth yr oedd y dyrfa'n rhannu ei arteithiau ac er i John Williams bwyso drachefn a thrachefn ar y gwrthodwyr, yr oedd rhai ohonynt yn dal yn gyndyn. Bob tro y cyhoeddai John Williams fod rhai'n parhau i wrthod ceid gwŷr a gwragedd yn beichio crïo o'r newydd. Gair olaf Evan Roberts wrthynt oedd, 'Ewch adref, a chyn myned i orffwys heno, cofiwch fod digofaint Duw yn gorffwys arnoch chwi'.[122]

Gwalchmai

Gwalchmai oedd y man cyfarfod ddydd Iau, 15 Mehefin. Cynhaliwyd yr oedfa ar gae wrth ymyl capel Gwalchmai a cherbyd marchnad yn gwasanaethu fel llwyfan. Yr oedd yr hin yn deg, a rhwng 4.00 a 6.00 o'r gloch chwyddwyd y gynulleidfa gan bobl yn dod o farchnad Llangefni.[123] Thomas Williams, Gwalchmai, oedd yn arwain y cyfarfod a bu'n mynd ymlaen am gryn ddwyawr cyn i Evan Roberts gyrraedd. Yr oedd ei gyfaill Sydney Evans gydag ef, a hynny am y tro cyntaf ym Môn. Cloff braidd oedd y cyfarfod a'r canu'n ddi-raen.[125]

Wedi i Evan Roberts gyrraedd, aeth dyn ar ei liniau ar y gwelltglas i weddïo. Wedi iddo orffen, dywedodd y Diwygiwr, 'Gwyn fyd na fuasem ni oll, fel y brawd yma, yn plygu hyd y llawr. Mae'r nefoedd yn barod, mae'r fendith yn barod, a 'does dim ond disgwyl yn awr wrth y ddaear i fod yn barod.' Yna cyfeiriodd Thomas Williams at gysylltiad y maes â hen bregethwyr enwog ac â chymanfaoedd y gorffennol a thalodd deyrnged i'r gweinidogion yn y fro – 'cadwasant y lamp yn olau yn y nos, ac y maent yn gorfoleddu yn awr.' Yna defnyddiodd gyfrwng areithyddol a fu'n effeithiol iawn amser a fu i sicrhau cytgord rhwng pregethwr a chynulleidfa yn nwylo meistri fel John Jones, Tal-sarn, ond a oedd yn dechrau mynd yn ddieithr bellach, sef cateceisio'r gynulleidfa.

Dywedodd Thomas Williams, 'Mi wn fod fy Mhrynwr yn fyw.' Yna gofynnodd i'r dyrfa, 'Ydy o'n fyw, bobol?' Ac atebodd y ddwy fil – a mwy – 'Ydy!' Dair gwaith y gofynnodd y cwestiwn a chael ateb cryfach bob tro. Yna gofynnodd, 'Fuo Fo farw?' 'Do,' gwaeddodd y dyrfa. Ac yna gwaeddodd Williams ar uchaf ei lais, 'Ond codi oedd y gamp!' nes oedd yn orfoledd tros y maes ac Evan Roberts yn chwerthin yn galonnog. Pan brofwyd y cyfarfod, ildiodd amryw, rhyw 36 i gyd, gan gynnwys tad ac wyth o blant. O Walchmai ei hun y deuai'r mwyafrif, yn gymaint felly fel y sylwodd Thomas Williams, 'Gwalchmai ydy nhw i gyd; ond mae Gwalchmai i gyd yn rhy fach iddo Ef!' Mae'n ddiddorol sylwi, er bod adroddiadau'r papurau newyddion yn rhoi'r argraff fod hwn eto'n gyfarfod hynod eneiniedig, yr oedd y Calfin hwnnw o Annibynnwr, Dr R. P. Williams, Caergybi, yn feirniadol. Braidd 'yn ddilewyrch' oedd y cyfarfod yn ei dyb ef.[126]

Bryn-du

Daeth tyrfa fawr – rhwng 4000 a 5000, yn ôl yr amcangyfrifon – i Fryn-du erbyn dydd Gwener, 16 Mehefin. Cynhelid breichiau Evan Roberts gan nifer o weinidogion dylanwadol fel John Williams (Brynsiencyn), Thomas Charles Williams (Porthaethwy), Llewelyn Lloyd (Bethel), David Rees (Capel Mawr) a J. H. Williams (Llangefni).[127] Ymhlith y cantorion ceid Sam Jenkins, Miss May John ac Annie Davies. Yn syth ar ôl cyrraedd, profodd Evan Roberts y cyfarfod a chafwyd 25 o ddychweledigion. Cafwyd enghraifft yn nes ymlaen o'i sensitifrwydd i unigolion yn y gynulleidfa oedd mewn cyfyngder ysbryd. Dyma ddisgrifiad Dr R. P. Williams o'r peth,

> Ymddangosai ar adegau mewn ingoedd dirdynol, a chyfeiriodd unwaith at adran neilltuol o'r gynulleidfa, "lle yr oedd enaid dan gwmwl, ond fod Yspryd Duw yno i symud y cwmwl", ac yn fuan, llefodd rhywun allan fod yno enaid wedi ei achub.[128]

Yn y cyfarfod hwn hefyd gwelwyd fel yr ystyriai gyfarfod diwygiadol yn faes brwydr rhwng galluoedd ysbrydol. Fel mewn cynifer o leoedd, rhybuddiodd fod ysbryd heblaw'r Ysbryd Glân yn bresennol, ond, meddai, 'mae yn well iddo beidio aros yn hir, neu bydd raid iddo ffoi o dan ei glwyfau.' Tanlinellodd gohebydd *Y Cymro* y peth yn y geiriau hyn,

> Dyma un o'r pethau sydd yn fy nharo fwyaf yn nglyn â'r Diwygiwr – y syniad cryf, byw, sydd ganddo am bresenoldeb ysbrydol y Gelyn, yn ogystal a'r Gwaredwr.[129]

Gan fod 'brwydr' ymlaen, yr oedd yn bwysig ganddo fod pob Cristion yn y gynulleidfa yn 'gweithio'. Dyma wedd arall ar ystyr y gair hwn oedd yn dod mor aml ar ei wefus. 'Gweithio' yn y cyswllt hwn, mae'n amlwg, oedd annog cymdogion yn y dorf i ildio eu hunain i Grist – dod â phobl trwy 'fwlch yr argyhoeddiad'. Ym Mryn-du, ataliodd y cyfarfod fwy nag unwaith. Un tro dywedodd, 'Mae arnaf ofn fod rhyw aelod yn segur. Ewch allan i'r dyrfa, gyfeillion, a chynigiwch yr Iesu.' A chododd Thomas Charles Williams ac Annie Davies oddi ar y llwyfan i wneud hynny. Ym Mryn-du hefyd gwelwyd ei eiddigedd am ansawdd ysbrydol y cyfarfod. 'Mae ysbryd gweddi'n colli,' meddai, a gofynnodd i bawb weddïo'n ddistaw. A disgynnodd distawrwydd llwyr ar y miloedd.

Pan ddaeth y cyfarfod i ben, cafodd Evan Roberts drafferth i adael y cae am fod cannoedd o bobl yn pwyso tuag ato i gael ei gyffwrdd. Dim ond gyda chymorth chwech o blismyn cyhyrog o dan awdurdod yr Arolygydd Prothero y llwyddodd i gyrraedd diogelwch.[130]

Seibiant

Ddydd Sadwrn cafodd Evan Roberts ychydig seibiant oddi wrth ei waith cyhoeddus trwy fynd i ymweld â Lloyd George yng Nghricieth. Mae'r diweddar William George wedi gadael disgrifiad hyfryd a manwl o'r diwrnod hwn.[131] Mae'n werthfawr nid yn unig oherwydd ei fod yn dod o law un oedd gallu bod yn hynod grafog ei farn ar faterion crefyddol yn y cyfnod hwnnw ond hefyd oherwydd ei fod yn dangos Evan Roberts mewn goleuni diddorol. Trefnwyd, ar ôl iddo fod yng Nghricieth, iddo gael gwibdaith fach trwy Eifionydd a gorffen yn Chwilog lle gallai ddal y trên yn ôl i Sir Fôn. Er ei fod yng nghanol y frwydr fawr ynglŷn â Deddf Addysg 1902, Lloyd George oedd arweinydd y cwmni, a gynhwysai John Williams (Brynsiencyn) a William George. Ar stesion Chwilog crybwyllodd rhywun yr awgrym chwareus a wnaethpwyd yn un o'r papurau newyddion y dylid gwneud Evan Roberts yn Archesgob Caergaint.

> Dilynwyd ar y llinell hon yn chwareus drwy wneud D. [Lloyd George] yn Brif-weinidog, J[ohn] W[illiams] yn Archesgob Efrog, minnau yn *Attorney General*, ac yn y blaen, ac ar nodyn ysgafn fel yna y terfynwyd y sgwrs pan

> ddaeth y trên i mewn a chipio'r Diwygiwr a'i gydymaith [John Williams] ar eu ffordd yn ôl i Fôn. Yr oedd D. [Lloyd George ac E[van] R[oberts] wedi taro arni yn dda gyda'i gilydd. Yng nghwrs un o'n hymddiddanion ceisiodd E. R. ganddo gymryd rhan yn yr ymgyrch. "Na," meddai yntau, "dal y cledd yw fy ngwaith i, tra byddwch chwithau yn ail-godi muriau'r Ddinas."[132]

O leiaf, yr oedd Lloyd George yn gwybod ei Hen Destament, ac yr oedd y Diwygiwr yn gallu ymadroddi'n bert ac yn ddigrif pan ddeuai'r hwyl!

Evan Roberts ym Môn: y Drydedd Wythnos

Llangefni

Yr oedd hi'n Sulgwyn ddydd Sul, 18 Mehefin, ac yn Llangefni y trefnwyd y cyfarfodydd ar gyfer y diwrnod hwnnw a thrannoeth. Gwaetha'r modd yr oedd y tywydd yn hynod wlyb ac yng nghapel Moriah y bu'r oedfeuon yn y bore a'r nos. Yr oedd Llangefni eisoes wedi blasu cynyrfiadau mawr y Diwygiad ac yr oedd disgwyliadau uchel am gyfarfodydd cofiadwy. Bu llawer o ddieithriaid yn crwydro'r strydoedd yn hwyr ddydd Sadwrn yn chwilio am lety. Er hynny, symol lawn oedd capel Moriah yn y bore, er bod tocynnau wedi eu hargraffu gan Bwyllgor Eglwysi Rhyddion y dref, a oedd yn gyfrifol am y trefniadau. Agorwyd y drysau am 8.30 ac yr oedd amryw o bobl amlwg y dref yn bresennol yn gynnar.[133] Oeraidd oedd y cyfarfod nes i William Hughes, Cae Star, roi tystiolaeth ac i Ap Harri weddïo. Tua 10.30 y cyrhaeddodd Evan Roberts o Walchmai, lle bu'n lletya dros nos. Edrychai'n welw a gwael ond siaradodd ychydig am ufudd-dod. Dywedodd wrth y gynulleidfa eu bod wedi gwahodd yr Ysbryd yno ac yr oedd yn amlwg ei fod yn bresennol. Ond sut groeso oeddynt yn ei roi iddo?

Cyfarfod cymharol ddigynnwrf oedd hwn; er hynny cafwyd 25 o ddychweledigion.

Treuliodd y tyrfaoedd y prynhawn mewn cyfarfodydd gweddïo yn y gwahanol gapeli. Byr oedd y prynhawn, fodd bynnag, oherwydd agorwyd y drysau ym Moriah am 4.30 a llanwodd y capel bron ar unwaith – llawer mwy nag a ddaliai'r 650 o eisteddleoedd. Am 4.45 yr oedd y gweinidog, J. H. Williams, yn gofyn i William Hughes, Cae Star, ddechrau'r cyfarfod. Unwaith eto, fel mewn mannau eraill, yr oedd tramorwyr yn bresennol, o Iwerddon, yr Almaen, y Swistir, yn ogystal ag o Loegr a'r Alban. Yr oedd y côr a'r canu o dan arweiniad A. J. Williams, Bee Hive, gŵr a gyfrannodd yn helaeth at ganiadaeth ym Môn. Clywyd llais lleol ymhlith yr unawdwyr hefyd pan ganodd 'Mrs Price,' Llangefni, 'Mi glywaf dyner lais . . . ' a hynny gydag effaith neilltuol.[134] Yr oedd yr olygfa'n fuan yn nodweddiadol o gyfarfodydd mwyaf brwd y Diwygiad gyda phobl yn gweddïo a chanu ar yr un pryd ac ugeiniau'n gorfoleddu. 'Yr oedd y sŵn bron yn fyddarol ond yr oedd rhyw *rhythm* ynddo, serch hynny.'[135]

Yr oedd Sam Jenkins a Sydney Evans gydag Evan Roberts pan ddaeth i mewn tua chwech. Canodd y ddau ohonynt ddeuawd, 'Maddeuant, maddeuant, maddeuant yn rhad . . . ' a chanodd y gynulleidfa'r gytgan lawer gwaith trosodd. Ar ôl i amryw weddïo cododd Gwyddeles ac ymbil dros Iwerddon ac wedi iddi orffen ei gweddi ymunodd â'i chwaer i ganu deuawd a'r gynulleidfa'n uno yn y cytgan Saesneg.

Yr oedd yn chwarter i saith pan gododd Evan Roberts.

Yr oedd yn amlwg yn anfodlon ar y cyfarfod gan ei fod, yn ei dyb ef, yn colli ei ddiffuantrwydd. Dywedodd wrth y gynulleidfa fod rhywbeth yn atal. Efengyl syml, meddai, yw'r Efengyl ac addoli syml oedd yn angenrheidiol. 'Yr ydych yn gofyn am fendithion er mwyn y bendithion, nid er mwyn Duw'r bendithion. Dim ond calon yn agor ac yn dweud ei neges wrth Dduw sy'n angenrheidiol. Dechreuwch ar ufudd-dod, gyfeillion. Nid af ymlaen ymhellach hyd nes gwneir hynny.'

Syfrdanwyd y gynulleidfa gan y bygythiad hwn i roi terfyn ar y cyfarfod. Ar ôl ennyd o betruster, dyma'r gweddïwyr yn torri ar draws ei gilydd o bob cwr o'r capel. 'Berwai y brwdfrydedd drwy yr holl le; a phasiodd awr o ymdrech ryfedd ym mysg y gynnulleidfa.'[136] Ar ôl i Sam Jenkins ganu 'A glywaist ti sôn am Iachawdwr y byd . . . ', meddai gohehydd yr *Herald*, 'ymdaflai hen ac ieuanc i foli, clodfori, a gogoneddu ar bob llaw.' Cododd y gweinidog i brofi'r cyfarfod a chafwyd nifer o ddychweledigion, gan gynnwys un hen ŵr 89 oed.

Yn union ar ôl hyn, digwyddodd dau beth dadlennol sy'n ein helpu i ddeall meddwl Evan Roberts yn well. Yn gyntaf, llewygodd gwraig ifanc wrth y sêt fawr a dyma'r Diwygiwr yn dweud, 'Dyma brawf gan Dduw ar y gynulleidfa: ac yr ydych yn methu ei ddal. Nid oes angen ichwi hidio dim beth sy'n digwydd yn y capel. Gwneud eich gwaith eich hunain yw eich dyletswydd chwi, a gadael digwyddiadau fel hyn yng ngofal y Meddyg Mawr. Ond mae'r gelyn wrthi'n brysur yn tynnu eich sylw oddi wrth eich dyletswydd trwy bob moddion fel hyn.'[137] Mae'n amlwg mai peth allweddol yng ngolwg

Evan Roberts oedd cael pobl i ganolbwyntio ar y gwaith mewn llaw, sef gweddïo. Yr oedd y canolbwyntio hwn yn cael ei chwalu pan oedd pobl yn troi eu sylw at ddigwyddiadau syfrdanol ac anghyffredin yn lle canolbwyntio ar Dduw a defnyddio'r cyfarfod fel cyfrwng i gael anghredinwyr i fwlch yr argyhoeddiad. Yn ail, cododd gŵr ifanc o Durham ar y galeri a dweud ei fod wedi trafaelio bob cam i Langefni i sŵn y Diwygiad am nad oedd yn gallu teimlo'n ddigon angerddol ynglŷn â Christ. 'Teimlo!' meddai Evan Roberts, yn bur siarp, yn Saesneg, 'nid eisiau *teimlo* sydd, ond credu. Gall teimlad eich camarwain. Peidiwch ag ymddiried mewn teimlad.' Cododd Sydney Evans a mynd i siarad â'r gŵr, a phwyso arno i dderbyn Crist 'mewn gwaed oer' – ymadrodd annisgwyl iawn ar enau un o'r Diwygwyr.[138]

Er y cynnwrf, nid oedd Evan Roberts yn fodlon ar yr oedfa. Dro ar ôl tro, pwysodd ar y gynulleidfa i 'weithio'n well' a bod yn fwy eiddgar i achub eneidiau. Cododd Almaenwr ifanc a dweud (yn Saesneg) ei fod am gyffesu iddo anufuddhau i'r Ysbryd. Dywedodd Evan Roberts fod llawer yno oedd wedi anufuddhau ond nad oeddynt yn ddigon dewr i gyffesu fel y gwnaeth ef. Ac felly daeth y cyfarfod i ben gyda chydadrodd Gweddi'r Arglwydd.

Yr oedd cynifer o bobl y tu allan i gapel Moriah ac yn methu dod i mewn fel yr anfonwyd Llewelyn Lloyd i gynnal ail gyfarfod yn Neuadd y Dref a chafodd ei gynorthwyo gan Annie Davies, Mary Roberts ac Ap Harri.[139]

Cafwyd 20 o ddychweledigion ym Moriah a 10 yn Neuadd y Dref. Ac ni orffennodd y gorfoleddu gyda darfod y cyfarfodydd. Parhaodd tyrfa fawr i ganu a gweddïo yn yr awyr agored o dan arweiniad May John hyd wedi 11.00 o'r gloch.[140]

Ond ar y Llungwyn, 19 Mehefin, y gwelwyd y golygfeydd mwyaf Pentecostaidd yn ystod ymgyrch Evan Roberts ym Môn. Trefnwyd i gynnal y cyfarfod ar Gae'r Dinas, o dan gysgod hen gapel John Elias. Dywedid fod tua 6000 o bobl yn gorlifo'r maes erbyn tua 4.00 o'r gloch. Toc, daeth Evan Roberts i'r cae, yng nghwmni Annie Davies, Mary Roberts, Sam Jenkins a Sydney Evans. Gweddïodd Annie Davies yn ddrylliog iawn a dilynwyd hi gan laweroedd. Yna canodd Sam Jenkins y gân a ddaeth yn gysylltiedig â'i enw, 'Hen rebel fel fi' – cân a boblogeiddiwyd gyntaf gan Fyddin yr Iachawdwriaeth.

Tawedog braidd oedd Evan Roberts. Ychydig oedd ganddo i'w ddweud pan siaradodd ond pwysleisio mai amcan mawr y cyfarfod oedd addoli. Di-hwyl oedd y gweithrediadau. Ac yna cododd J. H. Williams a thraddododd anerchiad byr. Ei genadwri oedd fod llawer iawn o aelodau eglwysig wedi dod yno i weld beth oedd yn digwydd yn hytrach nag i gymryd rhan. Yr oedd brwydr ymlaen, ac eto edrychwyr arni oeddynt hwy. Dywedai gohebydd *Y Cymro* fod rhyw 'ddylanwad rhyfedd' yn dilyn ei eiriau. Ac ychwanegai, 'Gwelais lawer cawod o weddïau yn disgyn ar gynulleidfaoedd Mr Roberts, ond ni welais le erioed tebyg' i'r maes yn Llangefni.[141] Amcangyfrifai gohebydd *Yr Herald* fod tua mil o bobl yn gweddïo ar unwaith. 'Llewygodd llawer o'r merched. Yr oedd yno wylo ac ocheneidio lawer, ond gorfoleddu a gwaeddi, "Iesu Grist am byth" oedd y gwaith pennaf.'[142] Tu cefn i ohebydd *Y Cymro* 'yr oedd rheng o bobl, a phob un ohonynt yn gweddïo neu yn wylo yn uchel. Yn nghorph y gynulleidfa yr oedd ugeiniau fyny [ar eu traed?], ac mewn llawer man yr oedd capiau a hetiau yn cael eu chwyfio, a'u perchenogion fel pe buasent wedi colli pob hunanlywodraeth.' Parhaodd y berw eithafol hwn am gryn ddeng munud neu chwarter awr.[143] Yna, dyma J. H. Williams yn profi'r cyfarfod a'i dynnu i'w derfyn. Yr oedd Dr R. P. Williams, a oedd (fel y gwelsom eisoes) yn gallu bod yn bur feirniadol, yn cyfaddef mai dyma'r cyfarfod mwyaf a gafwyd ym Môn hyd yma, ac ychwanegodd, 'Ni chafwyd cymaint o'r peth a elwir yn "orfoledd" yn Môn er Diwygiad '59 ag a gafwyd yn y cyfarfod hwn.'[144] Ac yr oedd ganddo gof plentyn am y Diwygiad hwnnw ym Môn oherwydd mab siop fechan Cas-y-cloc, Rhos-goch, oedd Williams ac yr oedd yn bum mlwydd oed ym 1859.

Fel y gellir casglu oddi wrth bopeth a ddywedwyd eisoes, ac oddi wrth ôl-nodiadau y penodau, bu'r wasg yn chwarae rhan pur bwysig yn stori'r Diwygiad. Ond ar y Llungwyn, wedi i'r cyfarfodydd orffen, aeth y gohebwyr ar streic. Nid yw'r rheswm pam yn gwbl eglur. Dyma esboniad gohebydd *Y Clorianydd*,

> Hyd heno [nos Lun] rhoed pob rhwyddineb i wŷr y wasg wneud a fedrent i roddi i'r wlad adroddiad teg o'r cyfarfodydd rhyfedd hyn. Ond yma yr oedd mawr awydd gan rai pregethwyr ac eraill i fod yn amlwg ar y llwyfan, a thrwy hyny guddio pobpeth o wydd rhai o'r gohebwyr. Gwnaed cais ar ôl cais am well trefn, ond ni thyciai dim;

> ac ymadawodd y chwe' gohebydd fel protest yn erbyn y modd yr ymddygwyd at rai o honynt.[145]

Ond peth anodd i ohebwyr oedd cadw draw pan oedd newyddion cynhyrfus i'w cael ym mhob cyfarfod, ac ymddengys eu bod yn ôl wrth eu gwaith yn fuan iawn ac ni bu bwlch yn yr adroddiadau.

Caergybi

Er mor fawr y dorf yn Llangefni, yng Nghaergybi y gwelwyd y torfeydd mwyaf ar Ynys Môn. Mewn gwirionedd, fel y gwelsom, yr oedd y Diwygiad yng Nghaergybi wedi hen gyrraedd ei anterth ac amcangyfrifid fod rhyw 450 o ddychweledigion yno cyn i Evan Roberts gyrraedd.[146] Yr oedd ymwelwyr fel Joseph Jenkins, R. B. Jones, Llewelyn Lloyd, Madam Kate Llewelyn Morgan,[147] Miss May John ac eraill eisoes wedi cael dylanwad mawr.

Nid rhyfedd o ganlyniad fod tyrfa enfawr – tybid ei bod o gwmpas wyth mil – wedi crynhoi ar gae Ucheldre erbyn saith o'r gloch, nos Fawrth, 20 Mehefin. Yr oedd Evan Roberts yn aros yn Forcer Hill, yn nhŷ'r Parch. John Williams, gweinidog Hyfrydle. Yr oedd Williams i ffwrdd pan gyrhaeddodd y Diwygiwr ac yr oedd Mrs Williams a'r merched oedd gyda hi mewn cryn gyffro meddwl pwy a allai ddiddori'r dyn dieithr. Yr oeddynt ofn Evan Roberts. 'Deallent ei fod yn medru darllen eu meddyliau cudd . . . ' Ac felly anfonodd Mrs Williams at R. R. Hughes i ofyn iddo ddod i Forcer Hill i ddal pen rheswm gydag Evan Roberts. Yr oedd pryd bwyd wedi ei baratoi ar ei gyfer, ond er i Hughes bwyso arno i fwyta, ni chymerai ddim. Toc, dyma Roberts yn dechrau chwarae ag enw R. R. Hughes. 'R. R. H.', meddai, 'Royal Road to Heaven.' Caiff Hughes fynd a'r stori yn ei blaen,

> 'Olwch,' meddwn innau wrtho, 'y mae'r chwiorydd sydd yma yn eich ofni oblegid eu bod yn credu eich bod yn medru darllen calonnau pobl. Ond pe buasai hynny'n wir, ni buasech byth yn fy ngalw i yn "Royal Road to Heaven"'.[148]

Yr oedd tua 6.30 o'r gloch pan gyrhaeddodd Evan Roberts y cyfarfod. Yr oedd cryn dair mil wedi dod ynghyd erbyn hanner awr wedi pump a'r Parch. John Williams, Hyfrydle, yn arwain. Siaradodd ef am y frwydr rhwng Satan a'r Ysbryd Glân a bu'r dyrfa'n canu emynau fel 'Pa dduw ymhlith y duwiau . . . ', 'A welsoch ohwi Ef? . . . ' ac 'Ymgrymed pawb i lawr . . . '. Ond yr oedd y gynulleidfa'n llawer mwy cymysg na'r un o'r rhai blaenorol. Yr oedd hyn yn amlwg yn y ffaith fod llawer o'r gweddïau yn Saesneg. Rhwng popeth, nid oedd llawer o wefr yn y cyfarfod. A dechreuodd y tywydd ddirywio. Chwythai'r gwynt yn gryf a phan gyrhaeddodd Evan Roberts yr oedd yn amlwg mewn hwyl annifyr.[149] Pan siaradodd, anogai'r bobl i beidio a chymryd sylw o'r gwynt ond ymbil yn hytrach am y gwynt nefol. Tua saith dechreuodd wlawio. Ceisiodd Evan Roberts gael y dorf i ganolbwyntio ar brif fater y cyfarfod trwy eu rhybuddio fod llawer yn anufuddhau i'r Ysbryd. Dechreuodd llawer weddïo'n angerddol – mor angerddol ag unrhyw weddïo a welwyd ar yr Ynys hyd yma – ac am rai munudau cerddodd gwefr neilltuol trwy'r dorf wrth ganu,

Fi, fi, i gofio amdanaf fi,
O ryw anfeidrol gariad,
I gofio amdanaf fi.

Ond ataliodd Evan Roberts y canu a dweud fod gormod ohono a rhy ychydig o weddïo. 'Golyga hyn,' meddai, 'ychydig o ddychweledigion, canys trwy weddi y dygir hwy i mewn,' gosodiad sydd, gyda llaw, yn rhoi goleuni pellach i ni ar beth a olygai Evan Roberts pan soniai am 'weithio' mewn oedfa. Profwyd y cyfarfod a bu peth gweddïo wedyn ond pan geisiodd rhywun daro'r emyn, 'Dyma Geidwad i'r colledig', ataliodd Evan Roberts ef gan ddweud, 'Y mae arnom eisiau llai o ganu a mwy o ysbryd gweithio heno.' Cafwyd tua 11 o ddychweledigion a chlowyd y cyfarfod trwy gydadrodd Gweddi'r Arglwydd. Yr oedd Evan Roberts yn siomedig dros ben gyda'r cyfarfod.

Nid oedd cyfarfod nos Fercher, 21 Mehefin, yng Nghaergybi yn un cofiadwy chwaith. Yn un peth, yr oedd ar gyrion y dorf Saeson a Gwyddyl nad oedd ganddynt unrhyw gydymdeimlad â gwaith y cyfarfod.[150] Yr oedd cryn wamalrwydd yma ac acw a bu'n rhaid apelio o'r llwyfan ar bobl i beidio ag ysmygu.[151] Ar ben hynny, nid oedd Evan Roberts ar ei orau mewn cyfarfodydd ar y maes er bod cyfarfodydd yr wythnos cynt wedi mynd yn bell iawn tuag at ei argyhoeddi o werth cyfarfodydd o'r fath.[152] Yr oedd y cyfarfod wedi dechrau'n dda ddigon o dan arweiniad William Hughes, Cae Star, a gweddïodd Thomas Evans (Bootle) yn ardderchog.[153] Pan ddaeth Evan Roberts i'r cyfarfod dywedodd fod llawer gormod o ddisgwyl wrth ei gilydd yn y dorf yn lle disgwyl wrth y nefoedd. Soniodd am bwysigrwydd cariad at y gwaith a gofynnodd, 'Sawl un ohonoch a all ateb y cwestiwn, "A wyt ti yn fy ngharu i yn fwy na dy dad, neu dy fam . . . ?"' Gwaeddodd llawer y gallent ddweud eu bod, ac meddai Evan Roberts, 'Os ydych yn caru mor angerddol, gyfeillion, pam nad ydych yn gyrru'r lle ar dân ar unwaith?' Ond nid oedd hynny i ddigwydd yn y cyfarfod hwn. Profodd John Williams (Hyfrydle) y cyfarfod a chafwyd 11 o ddychweledigion. Gorffenwyd trwy gyd-adrodd Gweddi'r Arglwydd.

Erbyn dydd Iau, 22 Mehefin, yr oedd yr hin yn fwy ffafriol. Cafwyd awyr las uwchben a gwellt sych o dan draed a thywynnai'r haul yn danbaid hyd ei fachlud. Yr oedd gwell ymddygiad ar y cae hefyd na'r noson cynt. Dechreuodd y cyfarfod yn hwyliog, ond anhrefnus oedd y canu, er bod J. A. Williams a'i gôr wrth ymyl y llwyfan. Yn wir, ymroes rhai ar gyrion y dorf i gynnal eu cyfarfod eu hunain ochr-yn-ochr â'r cyfarfod mawr. Nid yw'n rhyfedd fod Evan Roberts wedi dweud yn ei anerchiad, 'Mae'n amlwg fod y Diwygiad hwn, fel aml un arall, yn caledu rhai pobl ac yn tyneru'r lleill. Mae rhai oedd yn gweithio yn dda gynt yn llaesu dwylo yn awr. Ond, gyfeillion, pan mae Ysbryd Duw ar y maes, gadewch inni fod a'n holl rym yn y gwaith.' Er mai hwn oedd ei anerchiad byrraf ym Môn, cafodd ddylanwad mawr a gweddïai ugeiniau, onid cannoedd ar ei ôl. Yr oedd piser William Hughes, Cae Star, yn orlawn a dyna lle'r oedd yn ei afiaith yn gweddïo a moliannu ar y llwyfan. Ond y teimlad oedd mai difywyd ac anhrefnus oedd y cyfarfod hwn o'i gymharu a'r rhai a gafwyd mewn mannau eraill yn y sir. Ond cafwyd rhai dychweledigion er hynny.[154]

Nos Wener, 23 Mehefin, oedd noson olaf y Diwygiwr yng Nghaergybi ac yr oedd hon i fod yn noson fythgofiadwy i filoedd. Daethai torf fawr at ei gilydd yn gynnar i Ucheldre ac yr oedd i chwyddo i dros ddeng mil, fe dybid, cyn i'r Diwygiwr gyrraedd. Ar gyrion y dorf ceid yr un gwamalrwydd a'r nosweithiau blaenorol ac yn arbennig gan ryw 'fanowarsmyn' (chwedl pobl Môn yr adeg honno) – criw llong rhyfel oedd yn yr harbwr ar y pryd. Siaradodd y Parch. Thomas Pritchard, ficer y Rhos, canodd Madam Kate Jones a gweddïodd R. P. Williams nes oedd ei wyneb yn fudr gan ddagrau. Pan gyrhaeddodd Evan Roberts, cerddodd i'r llwyfan ar ei ben ei hun – am y tro cyntaf yn ystod yr ymgyrch. Eisteddodd ar gadair ar y llwyfan, yn gwbl lonydd, gan graffu ar y dorf.

Yr oedd y cyfarfod wedi bod yn mynd ymlaen ers teirawr pan gododd Evan Roberts a dweud,

> Rwy'n ofni nad ydych yn amgyffred y realiti ofnadwy y mae'n rhaid ichwi ymladd yn ei erbyn. Ble mae gweithgarwch? Ble mae'r ufudd-dod? Nid y byd sydd eisiau ei goncro ond yr Eglwys. Dylasai'r lle hwn erbyn hyn fod yn oddaith fflamllyd. Y mae galluoedd y tywyllwch wedi bod yn ymladd yn ein herbyn ar hyd y tair noson a basiodd; ac y mae'r diafol yn bresennol yn ei berson heno, yn ymladd am eneidiau dynion. Oni ellwch chwi, Gristionogion, gredu addewid Crist y bydd Ef gyda chwi? Ni allaf fi wneyd dim . . .

Boddwyd ei eiriau yn ei ddagrau. Daeth drosto un o'r stormydd ysbrydol hynny a welwyd o'r blaen pan gredai fod gwamalrwydd pobl yn rhoi cyfle i alluoedd y tywyllwch. Torrodd i lawr yn llwyr y tro hwn nes oedd ei ddagrau'n golchi tros ei fochau a'i holl gorff yn cael ei rwygo a'i ysgytian gan arteithiau dychrynllyd. Yr oedd y pyliau hyn yn bethau brawychus iawn i'w gweld. A chaent ddylanwad trwm ar gynulleidfa. Felly y bu hi'r tro hwn. Torrodd storm tros y gynulleidfa. Crïai cannoedd a chlywid y Diwygiwr trwy ei ddagrau'n ymbil, 'Plyg hwy, O! Arglwydd, plyg hwy.' Yr oedd cannoedd yn ymbil gydag ef a'u breichiau'n estynedig, fel coedwig fawr, tua'r nefoedd. Dywedodd un wrth ohebydd *Y Cymro* na welodd ddim byd tebyg yn holl hanes y Diwygiad.

Toc, cododd Evan Roberts. Yr oedd fel dyn wedi ei weddnewid. Yr oedd ei wyneb yn goleuo â gwên siriol. 'Gogoniant i Dduw, fe allwn ganu yn awr, a chwerthin, a bod yn llawen, canys i ni y rhoddwyd y fuddugoliaeth. Mae Crist yn goncwerwr a'r diafol wedi ei goncro. Edrychwch fel y mae'n dianc! Ymlidiwch ef, chwi fyddin yr Arglwydd, ymlidiwch, ac nac arbedwch.' Dyna ei eiriau ar ôl codi. Ffrwydrodd y gynulleidfa ar hyn mewn bloedd fawr o fuddugoliaeth – rhai'n curo eu dwylo, eraill yn chwifio hetiau a chadachau poced, ac yn gweiddi 'Hosanna', 'Haleliwia', 'Bendigedig', 'Buddugoliaeth' a 'Diolch i Dduw'. Yr oedd miloedd fel pe'n methu'n lân â gwybod beth i'w wneud â hwy eu hunain, eraill ar eu gliniau yn y gwelltglas yn gweddïo. Siaradodd Evan Roberts drachefn wedi i'r cynnwrf dawelu. 'O! fy mhobl,' meddai, 'mae'r frwydr wedi bod yn galed. Ymosododd y diafol arnaf drwy'r dydd. Yr oedd yn ymdrech yn y tŷ cyn imi ddod yn ofnadwy, a bu bron a'm trechu. Ceisiwyd gennyf ddianc a pheidio a dod yma heno; ond, gogoniant i Dduw, mae'r fuddugoliaeth o du Crist.'

Mae R. R. Hughes yn adrodd yn ei hunangofiant beth a arhosai yn ei gof ar ôl hanner canrif. Yr oedd ef yn eistedd ar y llwyfan yn nesaf at Evan Roberts. Pan fyddai ar y Diwygiwr eisiau mynegi rhywbeth i'r dorf, gofynnai i Hughes siarad drosto.

> Bu egwyl o ddistawrwydd tua chanol y cyfarfod. Yna dechreuodd rhyw ddylanwad rhyfedd ddyfod tros y dorf. Y mae pawb fydd yn darllen y geiriau hyn rywdro wedi gweld cae o ŷd yn plygu o flaen awel o wynt. Ni ellid gweld y gwynt, ond gwyddid ei fod yno wrth weld yr ŷd yn plygu o'i flaen. Ac fe ellid gweld effeithiau rhyw ddylanwad anweledig yn cerdded dros y dorf ar faes Ucheldref.
>
> Cofiaf fod John Moses yn sefyll tua chanol y dorf. Yr oedd yn dalach o'i ysgwyddau i fyny na'r bobl o'i amgylch. Ac yr oedd wedi sensio beth oedd yn digwydd. Chwifiodd ei het uwchlaw pennau'r bobl oedd o'i amgylch, a chlywyd ef yn dywedyd, "Tyred anadl oddi wrth y pedwar gwynt, ac anadla ar y lladdedigion hyn, fel y byddont fyw." Wedi i'r awel fyned dros yr holl dorf, trodd Evan Roberts ataf, cydiodd yn ffyrnig yn fy mraich, a dywedodd, "Dyna don, ynte?" Ar derfyn y gwasanaeth gofynnodd i mi sut oedd fy ngwddf ar ôl y straen oedd wedi bod arno, ac â'i fys gwnaeth ffigwr y groes arno. "Bydd yn iawn yn awr," meddai, ac felly y bu.[155]

Yr oedd y cyfarfod yn un anghyffredin i'r eithaf a chaiff R. P. Williams y gair olaf amdano, 'Ni welwyd y fath olygfa erioed ym Môn, ac nid a'n angof byth gan neb oedd yn bresennol'.[156] Amcangyfrifid fod o leiaf 35,000 o bobl wedi bod yn y pedwar cyfarfod yng Nghaergybi.

Ar ôl wythnos a welodd o leiaf ddau o'r cyfarfodydd mwyaf a welwyd yn holl hanes y Diwygiad yng Nghymru, ni ellid disgwyl y fath uchafbwyntiau yn wythnos olaf ymweliad Evan Roberts â'r sir. Er hynny, nid dibwys cyfraniad y cyfarfodydd hyn i'r stori.

Evan Roberts ym Môn: yr Wythnos Olaf

Brynsiencyn

Ym Mrynsiencyn yr oedd Evan Roberts ar ddydd Sul, 25 Mehefin. Lletyai gyda Mr G. J. Roberts, Y.H., Trefarthen, cynrychiolydd Llanidan ar y Cyngor Sir, ac arhosai Mary Roberts ac Annie Davies gyda'r gweinidog, Thomas Hughes.[157] Yr oedd llu mawr – tua 2000 fe ddywedid, – wedi cyrraedd erbyn oedfa'r bore a golygfa anghyffredin oedd gweld rhwng 500 a 600 o feics wedi eu parcio mewn cae cyfagos. Yr oedd yn fore hynod o boeth a'r heddlu wedi darparu pwcedeidiau o ddŵr yfed a gwydrau ar gyfer y sychedig. A gwnaethpwyd defnydd helaeth ohonynt. Dechreuwyd yr oedfa trwy gydadrodd Salm 23 ac yna gweddïodd 'Rahel o Fôn', a oedd ar ymweliad o Racine. Cyrhaeddodd Evan Roberts tua 10.20 ond teimlai nad oedd pethau'n mynd fel y dymunai. Meddai wrth y dorf, 'Nid yw o gymaint pwys faint o hwyl gewch chwi, ond faint yw addoliad pob enaid, i ddangos gwerth oedfa.' Yr oedd anufudd-dod llaweroedd i gymhellion yr Ysbryd yn atal y cyfarfod a'r fendith. 'Mae ugeiniau ohonoch wedi eich symud, ond heb ufuddhau. Gofynnwch am fynd yn rhydd o'ch cadwyni, nid er mwyn hwyl, ond er mwyn cael gafael yn

Nuw!' Ni ddylai pobl fod ofn cymryd rhan gyflawn mewn oedfa, a defnyddiodd un o'r eglurebau trawiadol hynny a geid ganddo'n achlysurol. 'Mae ofn yn rhwystr i lawer weddïo. Mae craig yn lli'r afon yn rhwystr iddi; ond mae'r afon yn troi'r rhwystr yn fiwsig, ac mae'r dŵr yn wynnach o amgylch y graig.' Er i dri gael eu dychwelyd, y farn oedd mai difywyd oedd yr oedfa. Treuliwyd y prynhawn mewn cyfarfod gweddi yn Horeb.

Dechreuodd yr oedfa hwyrol am 4.30 a chyn bo hir yr oedd tyrfa fawr wedi crynhoi.[158] Tua 6.15 y cyrhaeddodd Evan Roberts ond aeth awr gron heibio cyn iddo godi i siarad. Yn gyntaf, gofynnodd i bawb oedd yn aelodau eglwysig godi eu dwylo, ac wedyn gofynnodd i bawb oedd yn caru Iesu Grist godi'i law a chododd mwyafrif llethol y gynulleidfa eu dwylo. 'Wel, yn sicr,' meddai 'y mae rhywbeth o'i le. Y dorf fawr yma i gyd yn caru Iesu Grist, a dim ond un ar y tro yn gweddïo! Pam yr ydych mor oeraidd a ffurfiol? Os caru, gyfeillion, beth yw maint y cariad? Oes ar rywun yma ofn gweddïo? Yr hwn sydd yn ofni ni pherffeithir â chariad . . . Mae'r Ysbryd yma ar ei orau, ac nid ydym ni yn gwneud dim . . . Peidiwch â disgwyl pethau rhyfedd; os ydych am eu gweld rhaid mynd trwy ddrws ufudd-dod.' Fel bob amser pan apeliai am ufudd-dod a 'gwaith', ymatebodd y dorf gyda llu'n gweddïo ar unwaith. Ni bu dim canu nes i Evan Roberts ledio'r emyn, 'O gariad, O gariad, anfeidrol ei faint . . . '. Erbyn 8.00 o'r gloch yr oedd yr 'olygfa'n annisgrifiadwy'. Pan aeth Evan Roberts i brofi'r cyfarfod, cafwyd 10 o ddychweledigion. Ond yr oedd amryw yn gwrthod, ac meddai'r Diwygiwr, 'Rhaid plygu o dan law cariad, neu law digofaint. Prun sydd orau, gyfeillion?' Ond ni phlygai'r gwrthodwyr a gofynnodd Evan Roberts i'r dorf weddïo gyda'i gilydd, 'Achub y gwrthodwr, er mwyn Iesu Grist.' A gorffennodd y cyfarfod.[159]

Sasiwn Môn

Ddydd Llun, 26 Mehefin, cafodd Evan Roberts brofiad newydd eto trwy gymryd rhan yn Sasiwn Môn yn Llangefni. Am 5.30 pregethai John Williams, Brynsiencyn, ar y testun 'y dichon Duw, ie, o'r meini hyn, gyfodi plant i Abraham'. Yn union wedi i'r bregeth orffen, aeth yn weddïo cyffredinol. Siaradodd Evan Roberts ddwywaith – yr ail dro am y nefoedd. Ac fel yn Amlwch aeth y pwnc yn drech nag ef, a methodd a gorffen ei neges. Pan brofodd John Williams y cyfarfod yr oedd amryw yn gwrthod ildio. Cymerodd y Diwygiwr at yr awenau a gofynnodd, 'I ble'r ydych yn mynd?' Ymddengys fod aelodau eglwysig wedi eu crynhoi at ei gilydd mewn un rhan o'r cae a dyma hwy'n ateb yn unllais, 'I'r nefoedd'. Troes Evan Roberts at y lleill a gofyn, 'I ble'r ydych *chwi* yn mynd?' Yr ateb oedd distawrwydd hollol. Yna gofynnodd i'r rhai a allai yn y dorf ddweud 'I'r nefoedd' dair gwaith. Torrodd yn orfoledd ac yn sŵn hwnnw y gorffennodd yr oedfa.[160]

Biwmares

Ym Miwmares yr oedd y cyfarfodydd nos Fawrth a nos Fercher, 27 a 28 Mehefin. Unwaith eto cafodd Evan Roberts le anghyffredin i draethu ynddo, sef y sgwâr y tu mewn i'r castell. Y Parch. Ishmael Evans oedd yn arwain.[161] Prynhawn dydd Mercher, trefnodd William Pritchard, y peilot, Penmon, i'r Diwygiwr gael mordaith o gwmpas Ynys Seiriol.[162] A chafwyd egwyl ddymunol. Yr oedd 6000 yn y castell erbyn 5.30 ond aeth dwyawr heibio cyn i Evan Roberts gyrraedd yng nghwmni John Williams, Brynsiencyn, a Thomas Charles Williams. Rhwng y ddau gyfarfod cafwyd 50 o ddychweledigion.[163]

Porthaethwy a Llanddona

'Oedfa Galed' oedd pennawd *Y Clorianydd* wrth roi hanes y cyfarfod ym Mhorthaethwy, nos Iau, 29 Mehefin. Yr oedd y maes gwrs o ffordd o'r Borth a'r hin yn anffafriol gyda glaw a gwynt cryf. Bu Evan Roberts yn y cyfarfod am gryn awr cyn iddo godi ac ni siaradodd ond am ryw bedwar munud.[164]

Drannoeth yn y pnawn, cynhaliodd Evan Roberts gyfarfod am yr unig dro yn ystod ei yrfa mewn eglwys blwyf. Yn Llanddona y bu hynny, ar wahoddiad y rheithor, y Parch. Peter Jones. Arweiniwyd y gwasanaeth gan y rheithor a thywysodd y gynulleidfa trwy'r Litani a'r Credo. Darllenwyd y llith gan John Williams, Brynsiencyn. Yn ei anerchiad dywedodd Peter Jones iddo wahodd Evan Roberts i eglwys 'lle'r oedd lamp yr Efengyl wedi bod yn goleuo am 1300 o flynyddoedd.' Ac meddai ymhellach, 'Yr wyf yn credu fod y Diwygiwr yn gennad arbennig oddi wrth Dduw, at waith arbennig. Gofynnai un i mi beth fyddai'r esgob yn ei ddweud. Atebais nad oeddwn wedi dweud yr un gair wrth yr esgob, ond gwn fod calon yr esgob, a phob esgob arall, mewn llawn gydymdeimlad â'r Adfywiad.'

Siaradodd Evan Roberts am tuag ugain munud. Dywedodd mai yn ystod y mis Medi blaenorol y bu mewn eglwys blwyf ddiwethaf ac iddo glywed yno'r adnod, 'Bywha dy waith, O! Arglwydd, yng nghanol y blynyddoedd.' Ychydig a feddyliai ar y pryd pa mor fuan y deuai'r ateb. Yna aeth i sôn am rwymau'r teulu.

> Os yw Duw'n Dad inni, yna yr ydym yn frodyr a chwiorydd ac aelodau o deulu Duw ei Hun. Yn ein bywyd daearol torrir rhwymau teuluol yn fynych, ond yn nheulu Duw, mae'r rhwymau'n dal yn oes oesoedd. Pam felly y dylai Cristionogion, sy'n frodyr yn nheulu Duw, gadw mor bell oddi wrth ei gilydd? Duw hapusrwydd a llawenydd yw ein Duw ni. Mae pobl yn gofyn pam yr ydym yn torri allan mewn gorfoledd cyhoeddus yn ein cyfarfodydd. Mae'r ateb yn syml ac yn ddigonol: am fod pobl wedi dod o hyd i Dduw ynddynt.

Pan brofodd John Williams y cyfarfod, cafwyd fod pump wedi eu dychwelyd, ond yr oedd pedair gwraig yn gwrthod. Dywedodd un ohonynt nad oedd yn barod.

> 'Ddim yn barod?' meddai Evan Roberts. 'Meddyliwch! Y physygwr yn cynnig iechyd a'r cleifion yn dweud nad ydynt yn barod i'w dderbyn . . . Gyfeillion, yr ydych yn ddigon parod, peidiwch â gwrthod am nad ydych yn ddigon da. Mae Crist eich eisiau chwi fel yr ydych . . . Y diafol sy'n eich cadw'n ôl, â'i raff deircainc. Y gainc gyntaf yw, "Ddim yn ddigon da." Yr ail yw, "Ddim yn teimlo digon." Y drydedd yw, "Ofni byw i fyny â'r broffes." Ond mae rhaff deircainc yn tynnu y ffordd arall. Mae Iesu'n gofyn ichwi afael yn y rhaff honno. Ei chainc gyntaf yw, "Iesu, derbyn fi fel 'rydwyf." Yr ail yw,

"Maddau fy mhechod." A'r drydedd yw, "Dyro nerth i fyw." '

Ymddengys bod Evan Roberts ar ei hapusaf yn y cyfarfod hwn. Yr oedd cannoedd wedi methu a mynd i mewn i'r eglwys fechan a chynhaliodd y rhain eu cyfarfod eu hunain ar gae cyfagos. Ond dychwelodd y Diwygiwr i Borthaethwy.[165]

Caled oedd y cyfarfod yno, nos Wener. Disgynnodd cawodydd trymion a wlaw ac yr oedd y gwynt yn oer. Er hynny arhosodd tyrfa fawr ar y maes am oriau yn canu a gweddïo. Yr oedd Annie Davies, Sydney Evans a Sam Jenkins yn cynorthwyo'r Diwygiwr a chafwyd dolen gyswllt ddiddorol â'r gorffennol ym mhresenoldeb Mrs Anne Davies, Treborth, unig ferch Henry Rees, ar y llwyfan.[166] 'Dysgu'r ffordd i weddïo' oedd pwnc Evan Roberts pan siaradodd. 'Mae gweddi hir yn hwy ar ei thaith i'r nef, ac y mae un ddoniol yn cysgu ar y ffordd. Gweddi syml, a gweddi fer, sydd eisiau.' Er yr hin anffafriol cafwyd cyfarfod bendithiol gyda rhai dychweledigion.[167] Ond ni welwyd cynyrfiadau mawr.[168]

Benllech

Yn y Tabernacl, Benllech, y gwasanaethai Evan Roberts ar y Sul, 2 Gorffennaf. Yma eto cafwyd cyfarfodydd cofiadwy a daeth pobl o lawer rhan o'r Ynys – a'r tu hwnt iddi – i gymryd rhan yn yr oedfeuon. Ar y maes yr oedd y cyfarfod gyda'r nos ac amcangyfrifid fod rhwng tair mil a thair mil a hanner yn bresennol.[169]

Llanfair-pwll

Gorffennodd ymgyrch Evan Roberts ym Môn yn Llanfair-pwll, nos Lun, 3 Gorffennaf. Yr oedd y cyfarfod mewn cae y tu ôl i gapel Rhos-y-gad (fel y daethpwyd i'w alw'n ddiweddarach). Dechreuodd tua 5.00 o dan arweiniad y gweinidog, W. J. Williams.[170] Yr oedd tua 3500 yno pan ddechreuwyd trwy ganu, 'Yn Eden cofiaf hynny byth . . . ' Oeraidd oedd y cyfarfod a chydadrodd-wyd, 'O! anfon Di yr Ysbryd Glân . . . ' ac wedi i amryw weddïo daeth ton o gynhesrwydd tros y dorf. Cyrhaeddodd Evan Roberts tua 7.30 yng nghwmni John Morris-Jones ac eraill. Yr oedd y dorf erbyn hyn wedi cynyddu i tua phum mil. Cododd Evan Roberts ac meddai, 'Wel, gyfeillion, a gawn ni addoli yma? Mae'r Ysbryd yn agos, a'r nefoedd yn gorffwys ar yr oedfa.' Ond ni allai fynd ymlaen. Dechreuodd wylo'n hidl a llefain, 'Diolch am fynd i lawr.' Yr oedd hyn yn fwy nag a allai'r dorf ei ddal a buan yr ysgubwyd hi gan donnau o orfoledd ac ar y nodyn hwnnw y gorffennodd cyfarfod Llanfair a'r daith ym Môn.

Drannoeth yr oedd y Diwygiwr yn croesi'r Fenai i gynnal dau gyfarfod enfawr ym Mhafiliwn Caernarfon. Ond nid dyna ddiwedd y Diwygiad ym Môn. Parhaodd am wythnosau lawer wedyn.

Dyna'r stori. Mae angen yn awr ceisio dweud rhywbeth am ei harwyddocâd.

Mesur a Phwyso

Ystadegau Cyfarfodydd Evan Roberts

Y peth cyntaf i'w ddweud yw fod Diwygiad 1904–1905 yn ddigwyddiad a ysgydwodd fywyd yr Ynys i'w seiliau. Er nad yw ystadegau o fawr gwerth i fesur dylanwadau ysbrydol, maent yn bwysig i'r hanesydd wrth geisio dirnad symudiadau cymdeithasol. Fel mae'n digwydd, cymerai'r papurau newyddion ddiddordeb mawr yn nifer y bobl a fynychai gyfarfodydd Evan Roberts a cheir amcangyfrifon yn weddol gyson o faint y cynulliadau. Mae'r diddordeb hwn ynddo'i hun yn awgrymu eu bod yn gynulliadau mwy na'r cyffredin. Gyda'r oedfeuon a gynhaliwyd mewn capeli, yr oedd cyfyngu mynediad i'r sawl a feddai docyn yn sicrhau nad yw'r amcangyfrif am faint y gynulleidfa ymhell iawn o'i le. Mae dipyn mwy o amheuaeth ynglŷn â'r rhifau a roir am y torfeydd 'ar y maes', oherwydd nid oes dim mor anodd â chael cyfrif cywir o dyrfa fawr mewn cae. Rhaid cadw'r cyfyngiadau hyn mewn cof wrth drafod yr ystadegau.

O gymryd yr amcangyfrif lleiaf ym mhob cyfarfod, fe welir oddi wrth y papurau newyddion fod 87,360 o bobl wedi gweld a chlywed Evan Roberts yn y 28 cyfarfod a gynhaliodd ym Môn. A chymryd y ffigur uchaf bob tro, y mae'r rhif yn 96,500. (Ac nid yw'r ystadegau hyn yn cynnwys rhai Sasiwn Llangefni ar 26 Mehefin, na rhai cyfarfodydd Porthaethwy, Llanddona, nac oedfa'r bore yn y Tabernacl, Benllech. Ni chafwyd amcangyfrifon ar gyfer y rhain.) Yr ydym felly'n ystyried presenoldeb o rywbeth rhwng 90,000 a 100,000. Yr oedd poblogaeth Môn ym 1905 rywle o gwmpas 50,500. Dichon fod llawer iawn o bobl wedi bod mewn llawer cyfarfod, er bod yr arfer o argraffu tocynnau ar gyfer yr oedfeuon mewn capeli yn ymgais i roi cyfle i bobl leol gael blaenoriaeth ar grwydriaid o'r fath. Er hynny, mae'n deg tynnu'r casgliad fod cyfartaledd uchel iawn o'r boblogaeth wedi manteisio ar y cyfle i fynychu cyfarfodydd Evan Roberts.

Ond nid Evan Roberts a'i gyfarfodydd oedd swm a sylwedd y Diwygiad ym Môn. Nid oedd yr wyth cyfarfod ar hugain a gynhaliwyd ganddo ef ond cyfartaledd bychan iawn o'r holl gyfarfodydd diwygiadol a gynhaliwyd yn y sir rhwng diwedd Tachwedd 1904 a diwedd 1905. Wrth gyflwyno hanes yr achos ym Môn yn Sasiwn Llannerch-y-medd, 27 Mehefin 1907, dywedodd Thomas Charles Williams nad oedd cymaint ag un o eglwysi'r Methodistiaid Calfinaidd yn y sir heb deimlo oddi wrth y Diwygiad.[171] Ac yr oedd eglwysi'r Bedyddwyr, yn arbennig trwy ymweliadau R. B. Jones, wedi dod yn drwm o dan ddylanwad y Diwygiad hefyd. Yr oedd y Diwygiad wedi treiddio i bob rhan o'r Ynys a hynny gyda nerth mawr. Beth bynnag arall oedd Diwygiad 1904–1905 ym Môn, yr oedd yn ddigwyddiad mawr.

Y Diwygiad a'r Gweinidogion

Un o nodweddion amlycaf y Diwygiad ym Môn oedd y rhan bwysig a gymerodd y gweinidogion ynddo. Ym 1906 cyhoeddwyd ymosodiad llym iawn ar weinidogion yn gyffredinol am na ddaeth y Diwygiad drwyddynt hwy. Haerai fod y weinidogaeth 'wedi gwrthod yr Ysbryd trwy beidio cyflawni yr amodau – trwy esgeuluso cyfaddasu ei hun i'w dderbyn: mewn canlyniad, onid dyledswydd yr eglwysi yw gwrthod Gweinidogaeth felly?'[172] Nid oedd unrhyw sail i'r cyhuddiad hwn yn hanes y Diwygiad ym Môn. Nid na cheir peth beirniadu ar rai ohonynt yn awr ac yn y man.[173] Ond gellir dweud yn ddibetrus mai'r gweinidogion a fu'r prif gyfryngau i gynnau tân y Diwygiad. Cyfrannodd gweinidogion o rannau eraill o Gymru – gwŷr fel R. B. Jones, Joseph Jenkins a J. T. Job – at y gwaith. Ond nid llai pwysig cyfraniad gweinidogion yn y sir, fel J. H. Williams, Llewelyn Lloyd, David Lloyd, David Hopkin, E. B. Jones, R. P. Williams a'r ddau John Williams a llu o rai eraill. Ac o fewn y ffram enwadol y trefnwyd ymweliad Evan Roberts. Y Cyfarfod Misol a'i gwahoddodd a John Williams (Brynsiencyn) a luniodd raglen iddo. Trwy berswadio Evan Roberts i fynd ar ymweliad â Lerpwl, newidiodd John Williams dacteg y Diwygiwr. Cyn hynny yr oedd ei ymgyrch i raddau pell yn un bersonol heb unrhyw gysylltiad swyddogol ag unrhyw enwad na phwyllgor. Yr oedd yn wahanol yn Lerpwl ac yn Sir Fôn. Ni chredai pawb mai peth doeth oedd hyn. 'Bu gan John Williams ran fawr mewn symud y sylw oddiwrth y Diwygiad at y Diwygiwr,' meddai ei gofiannydd.[174] Ond yr oedd hyn yn llai gwir ym Môn nag yn Lerpwl. Credai eraill fod gosod cynllun a threfn amser i'r Diwygiwr yn Sir Fôn yn rhy debyg o lawer i gynllunio gwaith yr Ysbryd Glân ymlaen llaw. Yr oedd *Seren Cymru* braidd yn bigog oherwydd y wedd enwadol oedd yn cael ei rhoi i'w ymweliad. 'Mae yn amlwg,' meddai, 'nad yw y Diwygiwr yn bwriadu gweithio yn y Gogledd ar yr un llinellau ag yn y De. Gweithia ym Môn o dan nawdd ac yn ôl cyfarwyddyd y Methodistiaid . . . Nid yw yn bwriadu ymweled ond â'r ardaloedd hynny lle y mae y Methodistiaid yn y mwyafrif mawr . . . '[175] Mae'n anodd meddwl am le yn Sir Fôn lle nad oedd hynny'n wir! Ac ar ben hynny, gallai'r Methodistiaid ddechrau'r flwyddyn fod wedi llunio cwyn gyffelyb, pe bai diben yn hynny, mai capeli'r Bedyddwyr oedd yn cael fwyaf o weinidogaeth R. B. Jones! Ond y gwir yw fod y trefniadau lleol yn Amlwch, Caergybi a Llannerch-y-medd yn nwylo pwyllgorau cydenwadol. Y peth sy'n amlwg drwy hanes y Diwygiad ym Môn yw fel yr oedd yr adfywiad o dan reolaeth y gweinidogion ac yn wedd ar weithgarwch yr enwadau. Gwelid y peth nid fel rhyw chwyldro mawr oedd yn peryglu cadernid eglwysi'r sir ond fel parhad o'r traddodiad Pentecostaidd hwnnw a gyfrannodd mor helaeth at dyfiant Cristnogaeth ynddi. Ac yn gyson â hyn ceir cyfeiriadau mynych yn yr adroddiadau at Ddiwygiad Richard Owen,[176] Diwygiad '59 a hyd yn oed y diwygiadau yn nyddiau John Elias. Ystyr hyn oedd fod yr asio rhwng traddodiad ac adfywiad yn diogelu ffrwyth y Diwygiad mewn ffordd gadarnhaol.

Bywiocáu'r eglwysi

Daw'r pwynt yn eglurach eto pan drown i ystyried effeithiau'r Diwygiad. Nid oes ddadl nad oedd bywyd ysbrydol yr Ynys yn dioddef gan sychter mawr ym mlynyddoedd dechrau'r ganrif. Yr oedd gwaith mawr yn mynd ymlaen yn yr eglwysi a'u hysgolion Sul, wrth gwrs. Barn Richard Matthews, Pen-sarn, oedd fod y gwaith yn cerdded yn drwm, ac

> er treulio llawer o flynyddoedd mewn dysgu a diwyllio, rhybuddio ac ymboeni, yr oedd y cyfan yn ymddangos yn llafur ofer. I bob golwg yr oedd yr oes yn caledu, yn myned yn ddifater, yn gwamalu, ac yn ymgolli mewn gwagedd a gormodedd.[177]

Ac eto, fel mewn rhannau eraill o Gymru, yr oedd dyheu mawr am adfywiad. Nid oes dim yn fwy trawiadol yn hanes y Diwygiad na'r lluoedd cyfarfodydd gweddi a gynhaliwyd i ymbil am Ddiwygiad. Yr oedd felly yn Sir Fôn. Yr oedd yr eglwysi'n gosod eu hunain mewn cywair ysbrydol i dderbyn yr adfywiad pan ddeuai. Daeth ton fawr y Diwygiad yn wythnosau agoriadol 1905 a chyfarfodydd yn y capeli ac eglwysi'r plwyf oedd y rheini bron yn ddieithriad. Dim ond gyda dyfodiad Evan Roberts ym mis Mehefin y cafwyd cyfres sylweddol o gyfarfodydd ar y maes. Ar ben hynny, edrychai'r Diwygiwr ar ei ymgyrch ym Môn fel cenhadaeth yn gymaint at yr eglwysi ag at bobl yr ymylon. Pan sonnir yn y cyswllt hwn am 'adfywiad yn yr eglwysi', mae'n rhaid cofio mai un o nodweddion bywyd Môn ddechrau'r ganrif oedd fod llu mawr o bobl yn mynd i'r oedfeuon nad oeddynt yn aelodau eglwysig. 'Moddion cyhoeddus' oedd un enw ar yr oedfeuon. Yr oedd croeso i bawb fynd iddynt. A'r bobl hyn a dderbyniai'r gwahoddiad a mynd i'r oedfeuon oedd y 'gwrandawyr'. Nid corlan i glwb crefyddol oedd capel ym 1900 ond adeilad cyhoeddus i bregethu'r Efengyl i bawb a fynnai fynd i'w gwrando. Golygai hyn fod miloedd rai o bobl yn Sir Fôn oedd yn wrandawyr ac yn fynychwyr yr ysgolion Sul, ac eto nad oeddynt yn aelodau eglwysig. Er hynny, yr oeddynt yn bur hyddysg yn yr athrawiaeth Gristionogol ac yn gwybod eu Beiblau'n dda. Beth bynnag am y dosbarth nad âi byth i foddion cyhoeddus, yr oedd yn naturiol i'r arweinwyr crefyddol wneud y gwrandawyr yn faes cenhadaeth arbennig. Ac i'w cael hwy i gymryd eu lle fel aelodau cyflawn a chymunwyr yn yr eglwysi, yr oedd yn rhaid bywiocáu'r cynulleidfaoedd. Yr oedd felly ddau amcan yn y golwg yn ystod y Diwygiad: un oedd dwyseiddio a difrifoli'r sawl oedd eisoes yn aelodau eglwysig, a'r llall oedd gwneud aelodau o'r gwrandawyr – heb anghofio'r rhai a ddaeth yn wrandawyr am y tro cyntaf yn adeg berw'r Diwygiad.

Dychweledigion

Un canlyniad amlwg i'r Diwygiad, felly, oedd cynnydd mewn aelodaeth eglwysig. Yr oedd aelodaeth eglwysi Methodistiaid Calfinaidd Môn ym 1904 yn 11,175 ac erbyn 1906 yn 13,059 – cynnydd o 1884.[178] Yr oedd gan y Bedyddwyr 2113 o aelodau ym 1904 a 2889 erbyn diwedd 1905 – cynnydd o 776.[179] Yr oedd aelodaeth yr Annibynwyr ar ddiwedd 1904 yn 3132 ac ar ddiwedd 1905 yn 3693 – cynnydd o 561. Rhifai'r Wesleaid 994 ar ddiwedd 1903 a 1215 ar ddiwedd 1905 – cynnydd o 221. Gwelodd y Bedyddwyr, felly, gynnydd o 36%, y Wesleaid gynnydd o 22%, yr Annibynwyr gynnydd o 17%, a'r Methodistiaid Calfinaidd gynnydd o 16%. Ond mae lle i gredu mai o blith y gwrandawyr yn bennaf y daeth y cynnydd. Dyna oedd barn Thomas Charles Williams o berthynas i'r Methodistiaid Calfinaidd. Ar ôl y Diwygiad dywedodd, 'ychydig yw nifer y gwrandawyr erbyn hyn mewn unrhyw gynulleidfa.'[180]

Gellir cael syniad am gryfder ystadegol yr eglwysi ym Môn ym 1906 oddi wrth y ffigurau a gyhoeddwyd gan y Comisiwn Datgysylltiad. Rhifai cymunwyr Eglwys Loegr yn y sir 4807 ac aelodau'r capeli 21,251, cyfanswm o 26,058. Mewn poblogaeth o 50,606, rhydd hynny tua 51.2% o gymunwyr llawn. Ni allai'r plant, wrth gwrs, fod yn gymunwyr llawn, a dywed y Comisiwn fod 8904 o blant o dan 15 oed yn yr ysgolion Sul. Mae'r Comisiwn hefyd yn rhoi rhif ar gyfer y gwrandawyr yn y capeli. Dywed fod 11,847 o'r rheini – ond mae'n rhybuddio na ellir gwneud unrhyw ddefnydd ystadegol sicr o'r rhif hwn am y rheswm mai amcangyfrif bras iawn ydyw a'i bod yn arfer gan lawer o bobl dreiglo o gapel i gapel a gallai llawer iawn ohonynt gael eu cyfrif fwy nag unwaith yn amcangyfrifon gwahanol eglwysi. Ni fyddai'n ddiogel dweud mwy na bod mwyafrif pobl Môn yn y cyfnod yn union wedi'r Diwygiad mewn cysylltiad ffurfiol a swyddogol â rhyw eglwys neu'i gilydd, a bod nifer nid ansylweddol uwchben hynny wedyn yn dod i gysylltiad achlysurol a gweithgarwch yr eglwysi.[181]

Pwy a gyffyrddwyd?

Pa fath bobl a ddaeth o dan ddylanwad y Diwygiad ym Môn? A oedd rhyw ddosbarth mwy na'i gilydd wedi ei gyffwrdd? Cyn belled ag y mae dosbarthiadau yn yr ystyr gymdeithasegol i'r gair yn mynd, mae profion fod unigolion o bob dosbarth wedi eu cyffwrdd – gweision ffermydd, ffermwyr mawr, meddygon, siopwyr, gweision sifil, deallusion, gweinidogion, crefftwyr a gweithwyr diwydiannol. Y mae un dosbarth y gellir dweud yn ddibetrus i'r Diwygiad fod yn garreg filltir bwysig iawn yn ei ddatblygiad cymdeithasol. Y dosbarth hwnnw oedd merched. Nid oes dim yn fwy trawiadol na'r rhan amlwg a gymerodd merched yn y Diwygiad, nid yn unig fel cantoresau, ond fel cyfranwyr eiddgar at y bywiogrwydd cyhoeddus yn y cyfarfodydd. Sylwyd wrth adrodd yr hanes ar y cyfarfodydd gweddi a drefnodd merched iddynt eu hunain mewn llawer man yn Sir Fôn. Ers tro byd bu'r mudiad i agor y bywyd cyhoeddus i ferched yng Nghymru'n magu nerth trwy gylchgronau fel *Y Frythones* a'r *Gymraes* a thrwy brysurdeb Cranogwen ac eraill o'i cyfoedion.[182] Yr un modd, bu'r ymgyrch i sicrhau'r bleidlais i ferched yn magu nerth a chyn bo hir byddai'n ymroi i weithgarwch milwriaethus yn Lloegr. Ac yng Nghymru hithau mae i'r Diwygiad le arwyddocaol yn stori'r datblygiad hwn. O hyn ymlaen yr oedd merched i chwarae rhan bwysig ym mywyd yr eglwysi, er mai araf oedd yr arweinwyr gwrywaidd i roi safleoedd swyddogol iddynt yn y cyfundrefnau enwadol.

Dosbarth arall a gyffyrddwyd yn arbennig gan y Diwygiad oedd yr ieuenctid. Sonnir yn adroddiadau'r papurau newyddion am y lluoedd o bobl ifainc a âi i'r cyfarfodydd diwygiadol a chymryd rhan ynddynt. Trwy'r Diwygiad daeth llawer o 'dalentau newyddion', yn arbennig ymhlith yr ifanc, i gyfrannu at fywyd yr eglwysi a pharhau i wneud hynny am lawer blwyddyn.[183] Ni bu'r datblygiad hwn heb ei anawsterau oherwydd mewn rhai eglwysi magwyd tyndra rhwng yr hen genhedlaeth a ddaliai'r awenau gynt a'r ieuenctid a ddaeth i gymryd rhan yn eu gweithgareddau o ganlyniad i'r Diwygiad.[184]

A fu encilio wedyn?

Mae'n rhaid cydnabod fod llawer o bobl wedi eu siomi yn y Diwygiad. Cyn bo hir cawn ysgrifenwyr yn sôn, er enghraifft, am 'y gwrthweithiad gwywol' oedd i'w weld yn y wlad ar ôl y Diwygiad.[185] Daethpwyd i gredu fod cilio mawr wedi digwydd ymhlith plant y Diwygiad yn y blynyddoedd ar ôl 1905 a chrëwyd yr argraff mai rhyw dân siafins teimladol oedd y cwbl. Mae'n anodd gwneud dadansoddiad ystadegol manwl a llawn am y blynyddoedd yn union ar ôl y Diwygiad. Yr ystadegau gorau yw'r rhai a gyflwynid bob blwyddyn i Gymanfa Gyffredinol y Methodistiaid Calfinaidd ac er na fyddai'n gyfreithlon tynnu casgliadau am yr enwadau eraill oddi wrth y rheini, gellir casglu'n deg oddi wrthynt beth oedd yn digwydd yn eglwysi'r enwad mwyaf yn Sir Fôn. Mae'n ddiddorol edrych yn gyntaf ar golofn y gwrthgiliadau.[186]

Blwyddyn	Cymunwyr	Gwrthgilwyr	% o aelodaeth y flwyddyn flaenorol
1898	11,029	96	0.87
1899	11,061	123	1.11
1900	11,112	110	0.99
1901	11,126	109	0.98
1902	11,175	106	0.95
1903	11,255	127	1.13
1904	11,387	103	0.91
1905	13,040	150	1.31
1906	13,059	156	1.19
1907	12,838	205	1.56
1908	12,668	188	1.46

Fel y gwelir, yr oedd cyfartaledd y gwrthgilwyr yn uwch o 1905 ymlaen ac yr oedd cyfanswm y gwrthgilwyr yn y pedair blynedd o 1905 hyd 1908 yn 699 o gymharu â 452 yn y pedair blynedd o 1900 hyd 1903 – cynnydd o 247. Prin y gellir galw hyn yn wrthgilio ar raddfa fawr. Ar gyfartaledd, yr oedd 112 yn gwrthgilio bob blwyddyn yn y chwe blynedd o 1898 hyd 1903 cyn bod Diwygiad. Cododd y cyfartaledd i 174 y flwyddyn o 1905 hyd 1908. Dyna gynnydd o 62. Ai'r rhif hwn yw'r un y dylem ei ystyried wrth gysidro'r gwrthgilio ymhlith plant y Diwygiad? Mae'n bosibl, oni bai am y ffaith nad oes modd gwybod i drwch y blewyn pwy oedd yn gwrthgilio. Ai'r bobl a fu ar dân yn amser y Diwygiad yw'r rhain? Ynteu pobl tlawd eu ffydd a deimlai fod Cristnogaeth bellach yn gofyn gormod ganddynt? Ynteu pobl llawn brwdfrydedd Pentecostaidd a siomwyd wrth weld tân y Diwygiad yn oeri yn yr eglwysi ac a giliodd ohonynt oherwydd hynny? Nid oes modd ateb i sicrwydd. Ond y mae gennym dystiolaeth bendant Thomas Charles

Williams ym Mehefin 1907 fod mwyafrif y dychweledigion yn eglwysi'r Methodistiaid ym Môn yn dal eu tir.

Sut mae gwrthgiliadau yn eglwysi'r Methodistiaid Calfinaidd yn Sir Fôn yn cymharu â mannau eraill yng Nghymru? Dyma ddetholiad o wahanol henaduriaethau:[187]

	1905	**1906**	**1907**	**1908**	**1909**	**1910**	**1911**
Môn	1.31	1.19	1.56	1.46	1.34	1.31	2.29
Arfon	1.23	1.23	1.17	1.02	0.96	1.06	0.84
Llŷn ac Eifionydd	0.96	1.16	1.37	0.87	0.70	0.83	1.03
Meirion:							
Dwyrain	0.56	1.01	0.82	0.59	0.90	0.40	0.75
Gorllewin	1.15	0.88	0.87	0.77	0.90	0.68	0.58
Aberteifi:							
Gogledd	0.71	0.49	0.42	0.56	0.52	0.92	0.52
De	0.18	0.36	0.50	0.37	0.48	0.06	0.69
Brycheiniog	3.29	2.46	2.59	2.56	2.51	2.62	2.07
Caerfyrddin	2.35	1.92	2.09	1.80	2.35	2.50	2.73
Morgannwg:							
Dwyrain	7.82	5.05	4.66	4.26	3.64	3.43	3.46
Gorllewin	4.65	4.21	3.41	2.86	3.49	3.01	2.95
Saesneg	15.06	10.73	11.26	8.57	7.62	8.79	7.77
Mynwy	0.96	9.65	6.52	7.14	6.86	5.48	5.46
Maldwyn:							
Isaf	2.07	2.13	3.13	1.77	1.71	1.80	1.78
Uchaf	1.61	1.02	1.04	1.10	1.01	1.00	1.44
Henaduriaeth	3.96	4.43	4.76	2.24	2.82	3.56	3.00

Dylanwad parhaol

O osod yr ystadegau fel hyn, daw patrwm awgrymog i'r golwg. Po Gymreiciaf yr henaduriaeth, lleiaf yn y byd yw cyfartaledd y gwrthgilwyr. Maent felly'n llai yng Ngwynedd ac yn y gorllewin, ac yn fwy fel y symudir i'r ardaloedd Seisnigedig. Nid yw'n ddiogel i drin y ffigurau fel rhai manwl gywir oherwydd yr elfennau ansicr (a grybwyllwyd eisoes) sydd y tu ôl iddynt. Ond nid annheg, efallai, eu cymryd fel profion o dueddiadau. Mae bwlch amlwg rhwng, dyweder, Henaduriaeth Saesneg Morgannwg a Cheredigion, neu rhwng Brycheiniog a Llŷn ac Eifionydd. O osod ystadegau Môn ochr-yn-ochr â rhai'r henaduriaethau eraill, fe welir fod cyfartaledd ei gwrthgilwyr yn uwch na gweddill Gwynedd a Cheredigion a Threfaldwyn Uchaf, ond yn is na'r rhai eraill. Er hynny, mae'n amlwg ei bod hithau'n tueddu i gadarnhau'r dybiaeth fod dychweledigion y Diwygiad yn cadw eu traed yn well yn yr ardaloedd Cymraeg nag mewn ardaloedd eraill. Ond ni ellir bod yn sicr fod hwn yn batrwm sy'n dal am yr enwadau eraill heblaw'r Methodistiaid Calfinaidd yn niffyg ystadegau cyfatebol. Ond os cysylltir y duedd hon sy'n cael ei hawgrymu'n gryf gan yr ystadegau, yr ydym yn dod i olwg un o leiaf o'r dylanwadau sy'n esbonio pam y parhaodd gafael Cristnogaeth mor gyndyn ar y Gymru Gymraeg er gwaethaf holl bwysau seciwlaraidd yr ugeinfed ganrif. Yn sicr, cyn belled ag y mae a wnelom â Sir Fôn, dyfarniad arwynebol iawn yw fod y Diwygiad yn ddim namyn tân siafins.

Plygu'r Cristnogion ffurfiol

Ystyriaeth arall yw mai cynnwrf yn bennaf ymhlith pobl oedd yn aelodau yn yr eglwysi, neu bobl oedd mewn cysylltiad agos â hwy, oedd y Diwygiad ym Môn. Wrth feddwl am y cyfarfodydd mawr ar y maes a gynhaliwyd yn ystod mis ymgyrch Evan Roberts yn y sir, mae'n hawdd cofleidio'r syniad mai'r di-gred a'r anghredinwyr oedd yn bennaf cyfrifol am y berw teimladol mawr. Ond rhaid cofio fod grym y Diwygiad wedi cyrraedd Môn hanner blwyddyn cyn hynny a bod mwyafrif llethol y cyfarfodydd diwygiadol a gynhaliwyd ar yr Ynys yn niwedd 1904 a thrwy 1905 wedi eu cynnal yn y capeli a'r eglwysi. A chyfarfodydd oeddynt yn bennaf oll o aelodau eglwysig a gwrandawyr. Yn sicr, cyffyrddwyd â rhai oedd mewn cyflwr ysbrydol a moesol pur druenus. Ond am fwyafrif y bobl a gyffrowyd, aelodau eglwysig oeddynt.

Adfywiad o rym eithriadol yn eglwysi Môn oedd Diwygiad 1904-05. Brawddeg awgrymog oedd honno o eiddo Evan Roberts yn ei gyfarfod nos Wener yng Nghaergybi, 'Nid y byd sydd eisiau ei goncro ond yr Eglwys.'[188] Os creffir ar ei anerchiadau yn ystod ymgyrch Môn, fe welir eu bod wedi eu hanelu at Gristionogion, lled-Gristionogion a phobl oedd wedi llithro ymaith oddi wrth Gristionogaeth. Fel y crybwyllwyd eisoes, pan aeth y ddirprwyaeth i lawr i'r De i ofyn iddo ymweld â Môn, gofynnodd Hugh Williams, Amlwch, iddo a oedd ganddo genadwri i bobl yr Ynys. Ei ateb oedd, 'Cofiwch y Gwaed.'[189] Hynny yw, cenadwri oedd hi i bobl nad oedd eisiau dweud wrthynt pa waed y soniai amdano. Gwyddent yn iawn beth a olyga gwaed Crist. Eu hangen oedd cofio'r hyn a wyddent eisoes. Yr un modd wedi iddo gyrraedd Sir Fôn, ei frwydr barhaus oedd i gael pobl i wynebu arwyddocâd llawn credu yng Nghrist, ac yn bennaf oll, credu yn yr Ysbryd Glân. Nid cyflwyno i bobl y Duw nad adwaenent mohono yr oedd, ond pledio â hwy i ymostwng i'r Duw yr oeddent eisoes yn rhoi cydnabyddiaeth ffurfiol iddo. Ac nid oedd dim yn peri mwy o ing enaid iddo na'r balchder ysbryd oedd yn peri i aelodau eglwysig gydnabod Duw'n ffurfiol a chyfuno â hynny ymddygiad oedd yn datgan yn amlwg nad oedd y gydnabyddiaeth honno'n cyffwrdd craidd eu calonnau. Dyma'n union beth barodd iddo yn y cyfarfod nos Wener yng Nghaergybi gordeddu mewn arteithiau ysbryd gan ymbil, 'Plyg hwy, O! Arglwydd, plyg hwy!'[190] A'r un cymhelliad oedd y tu ôl i'w alwad gyson am 'ufudd-dod'. Os credu yn Nuw, yna rhaid oedd ufuddhau iddo. Ac os credu yn yr Ysbryd Glân, yna rhaid oedd disgwyl yn eiddgar am ei eneiniad a'i ddylanwadau ac ufuddhau'n ddigwestiwn iddynt. Ac nid mater o weddïo neu gymryd rhan gyhoeddus mewn cyfarfod yn unig oedd yr ufudd-dod hwn. Golygai hefyd ufudd-dod moesol. A dyma wreiddyn y trawsnewid moesol mawr a gerddai yn sgîl y Diwygiad. Mewn cyfarfod a gynhaliwyd gan Gyngor Eglwysi Rhyddion Bangor, 21 Mehefin 1905, i ddiolch am y Diwygiad, dywedodd y Parch. Henry Rees Davies fod 'y Diwygiad wedi agor ein llygaid yn fwy nag erioed ar ein rhwymedigaeth i'r tlodion. Y mae dynion yn dod i sylweddoli fod gwneuthur trugaredd i'r *street Arab* bach, tlawd, yn gymwynas i'r Iesu'.[191] Yr oedd pont rhwng y Diwygiad a'r diddordeb mewn lles cymdeithasol a oedd i flaguro yn y blynyddoedd cyn y Rhyfel Byd Cyntaf. Sylwodd yr Athro John Morris-Jones ar y diddordeb dyngarol ymhlith gwŷr ifainc Llanfair-pwll pan ddaethant o dan ddylanwad y Diwygiad a hynny hanner blwyddyn cyn dyfodiad Evan Roberts i'r sir. A chadarnhawyd y diddordeb gan y Diwygiwr. Ac un o'r canlyniadau amlycaf oedd y lleihad sylweddol yn nifer achosion meddwdod gerbron llysoedd bach y sir.

Yn foesol, felly, ac yn ysbrydol, daeth y Diwygiad a Christionogion ffurfiol wyneb-yn-wyneb ag aruthredd y Ffydd a broffesent. Ac yr oedd Evan Roberts wedi ei gynysgaeddu mewn modd anghyffredin â'r gras i ddwyn pobl i'r argyfwng hwn. Prin bod argyfwng dwysach a mwy enaid-rwygol i un sydd wedi ei fagu yn sŵn y gwirioneddau Cristnogol na dod wyneb-yn-wyneb â'r Duw y clywodd â'i glustiau sôn amdano. Ac os oes rhywun yn amau hyn, darllened gronicl yr ymdaro, gan ddechrau gydag Actau 22 a gweithio trwy *Gyffesion* Awstin, pregethau Luther, *Helaethrwydd o Ras* John Bunyan, *Theomemphus* Pantycelyn, *Rhad Ras* Ioan Thomas, i lawr i *Pererindod Ysbrydol* Keri Evans. Mae'n bwysig pwysleisio hyn oherwydd y mae Diwygiad 1904–05 wedi dioddef cam dybryd trwy gael ei esbonio mewn termau hanesyddol, cymdeithasegol a seicolegol, heb i gyfiawnder gael ei wneud â ffaith ddiymwad hanesyddol ein bod yn delio â ffrwydriad ysbrydol lle daeth Cristnogaeth ffurfiol i'r man lle wynebodd y Duw yr oedd ei enw'n barhaus ar ei gwefusau. Nid yw hyn yn golygu dibrisio'r elfennau cymdeithasegol a seicolegol hynny sy'n ein cynorthwyo i ddeall y ffurfiau teimladol, cymdeithasol a hanesyddol a gymerodd y ffrwydriad ar adeg neilltuol yn hanes ein gwlad.

Y teimladrwydd

Yn naturiol ddigon, tynnodd y berw teimladol a oedd yn nodwedd amlwg yn y Diwygiad sylw mawr. Dyfynnwyd enghreifftiau wrth adrodd yr hanes i ddangos fel yr oedd y cyfarfodydd yn cael eu nodweddu gan straen emosiynol oedd yn mynd yn drech na llawer o bobl. Nid yn unig ceid pobl yn gweddïo'n ddigymell ar draws ei gilydd ac yn canu'n afieithus, ond ceid hefyd bobl yn syrthio i lewyg neu i lesmair. Ac yn y pethau hyn ceid eithafrwydd teimlad y gellir ei gymharu â phethau cyffelyb y tu allan i'r cylch crefyddol pan fo tyrfa'n cael ei chynhyrfu i'w gwaelodion.

Diau y gallai bod yn bresennol mewn cyfarfodydd cynhyrfus adael craith seicolegol ar y sawl oedd eisoes yn dioddef gan ansicrwydd emosiynol. Yn wir, cyhuddid y Diwygiad ambell dro o yrru pobl o'r fath dros y ffin i wallgofrwydd. Ond ychydig iawn o'r cyfryw a oedd yn ddigon drwg i gael triniaeth feddygol. Cyfeiriwyd at y mater yng nghyfarfod blynyddol Ysbyty Meddwl Gogledd Cymru, Dinbych, 11 Ebrill 1905, pan oedd ton fawr y Diwygiad newydd ysgubo dros Sir Fôn a rhannau eraill o Wynedd. Yn ôl yr adroddiad gan y swyddogion meddygol daeth 66 o gleifion i'r ysbyty yn y deufis blaenorol, 36 ohonynt yn wrywod. Dangosai 11 ohonynt effeithiau'r Diwygiad, ac o'r rheini deuai 6 o deuluoedd lle ceid dioddefwyr gan wendidau seicolegol ac yr oedd dau'n ychwanegol wedi bod o dan driniaeth o'r blaen. Naw yn unig, felly, o siroedd Gogledd Cymru y gellid dweud fod cynyrfiadau'r Diwygiad wedi gwneud triniaeth feddygol yn angenrheidiol.[192] Mae'n bur debyg, wrth gwrs, fod llawer eraill wedi eu heffeithio'n llai difrifol.

Rhaid cadw cytbwysedd wrth drafod y dystiolaeth. Yr oedd yn anorfod bod y papurau newyddion yn gwneud sylw arbennig o ddigwyddiadau emosiynol anghyffredin. Ac yr oedd hyn yn neilltuol wir am gyfarfodydd Evan Roberts. Ond am bob un a lewygodd neu a fynegodd arteithiau ysbryd trwy ymgordeddu ar lawr, yr oedd miloedd a fynegodd eu hangerdd teimladol mewn ffyrdd llai dramatig ac annormal – trwy wylo'n dawel, neu trwy ganu, neu'n fynychach lawer yn Sir Fôn, trwy weddïo'n llafar. Er bod y mynegiadau teimladol a godai o arswyd neu ddychryn i'w gweld mewn llawer cyfarfod, amlycach o lawer oedd rhyw ryddid gorfoleddus a llawen.

Evan Roberts a theimladrwydd

Sut bynnag y bu hi gydag Evan Roberts ym Morgannwg a Lerpwl, ni ellir peidio â sylwi ar gytbwysedd ei agwedd at deimladrwydd yn ystod ei ymgyrch ym Môn. Nid dyn mohono oedd a'i fryd ar feithrin stormydd teimladol costied a gostio. Cymerai agwedd bositif at deimladrwydd, mae'n wir. Yn ddiweddarach aeth crefyddwyr yng Nghymru i gymryd agwedd pur Gnosticaidd at bob math o emosiwn mewn crefydd. Dysgai'r Gnosticiaid ym more bach hanes Cristnogaeth fod y corff a'i deimladau, fel popeth materol, yn gwbl ddrwg. Dim ond yr enaid a allai fod yn dda. Datblygodd agwedd meddwl pur debyg ymhlith Cristnogion Cymru yn ystod yr ugeinfed ganrif. A dichon fod a wnelo'r Diwygiad ei hun – neu'r syniadau poblogaidd amdano – rywbeth â thyfiant yr agwedd hon.

Peth anweddus ac annerbyniol, o ganlyniad, oedd cysylltu wylo neu orfoledd neu asbri teimladol o unrhyw fath â chrefydd. Nid dyma agwedd Evan Roberts. Safai yn nhraddodiad Williams Pantycelyn – a wyddai mor dda am gynyrfiadau diwygiadol – a chredai fod yr Ysbryd Glân ar dro yn rhoi nwydau 'fel cantorion'. Nid oedd hyn ond un ffordd o ddysgu fod a wnelo gwaith yr Ysbryd â phob gwedd ar bersonoliaeth dyn, gan gynnwys y wedd deimladol. Er hynny, gwyddai Evan Roberts yn dda am y peryglon – fel y gwyddai Pantycelyn. 'Mae cymysg yn y cyfan is yr haul,' meddai'r Pêr Ganiedydd. 'Cair cariad natur yn fynych yn mynnu ei le yn y galon yr enynnodd Duw ei gariad ynddi.'

> Os bydd rhai yn cyfeiliorni mewn barn, rhai mewn bywyd, rhai mewn tymherau, rhai yn syrthio ymaith yn lân, rhai yn cysgu wedi bod unwaith yn effro, rhai yn cael eu traddodi trwy lawer iawn o brofedigaethau, nid yw hyn ond pethau sydd raid i ddisgwyl, a phethau a fu yn yr oesoedd o'r blaen, ac a ddaw eto ar ôl hyn; ac nid oes le i ni feddwl yn gul am waith yr Arglwydd o'i blegid.[193]

Nid yw'n syndod, felly, 'bod cymysg o ras a natur, o dda a drwg . . . mewn eglwysi y bo Duw yn tywynnu ei wyneb arnynt'. Oherwydd, yn un peth, Mae 'sŵn y gwynt' yn cyffwrdd rhagrithwyr ac yn cyffroi eu 'nwydau naturiol', ac yna 'y maent fel llong o flaen y gwynt, heb un balast ond tan gyflawn hwyliau, ac mewn perygl o gael ei briwio gan y creigydd, neu eu gyrru i mewn i aberoedd amherthnasol.'[194] Ac yr oedd Evan Roberts yn hynod sensitif i hyn i gyd. Ceryddodd y gŵr ifanc o Durham am roi pwyslais anghyfreithlon ar le teimlad, fel y gwelsom. Synhwyrai bresenoldeb pobl a ddeuai i'w gyfarfodydd nid i addoli ond i borthi chwilfrydedd. Mynnai, fel Pantycelyn, mai gwaith Satan oedd manteisio ar deimladrwydd y Diwygiad i hau ei efrau. Ar y llaw arall, croesawai y cynnwrf teimladol pan oedd yn argyhoeddedig ei fod yn mynegi rhyddid a llawenydd ysbrydol a pharodrwydd onest i ufuddhau i gymhellion yr Ysbryd. Ond pan synhwyrai fod y teimladrwydd yn amcan ynddo'i hun ac yn ddim namyn nwyd emosiynol, fe'i dinoethai (fel y gwnaeth yng Nghaergybi) fel gwaith Satan, ac ataliai waith y cyfarfod nes ysgymuno'r aflendid. Gwaetha'r modd, nid oedd pawb yn rhannu doethineb y Diwygiwr yn hyn o beth. I'r rheini, y cynyrf-iadau teimladol eithafol oedd y Diwygiad a cheisient eu creu trwy foddion gwneud. Ond digwyddai'n aml fod cyfarfodydd tawel yn llawer dyfnach eu hargraff. Sonia Elfed am y duedd hon. Ceisiai rhai, meddai, feithrin llawenydd arwynebol ar draul y gwir orfoledd 'but I am more and more convinced that when there is *hwyl* in a meeting, that indefinable, delicate glow, there is danger of carrying it too far, of constraining it, and of ending it there.'

> It is one of the careful operations of the Spirit, when allowed His own way, to let the glow remain within rather than too effusively break forth . . . I say that in order to bring you back to the Welsh Revival . . . There were during those months outbursts of revival; indeed I found this, that people had come to believe that unless a meeting came to the explosive moment it was not a good meeting at all. Whereas my experience, in looking back, is

> that some of the meetings, held almost in hush, were the meetings that remain.[195]

Ategodd R. R. Hughes y pwyslais hwn ar werth y cyfarfodydd llai dramatig pan ysgrifennodd, 'Y dystiolaeth gyffredinol oedd nad yn y cyfarfodydd lluosog gyda Joseph Jenkins ac Evan Roberts y derbyniodd pobl y fendith fwyaf, ond yn y cyfarfodydd bychain distaw yn y gwahanol eglwysi'.[196] Mae'r sylwadau hyn yn rhybudd yn erbyn diffinio'r Diwygiad yn nhermau'r cynnwrf teimladol eithafol. Rhywbeth tros dro oedd hwnnw a diflannodd mewn ychydig fisoedd, and arhosodd yr angerdd tawel yn hir wedyn. Yn wir, nid yw'n ormodiaith haeru y gellid ei deimlo ar dro mewn ambell oedfa yn Sir Fôn cymaint â thri chwarter canrif ar ôl 1905.

Anfoesoldeb?

Un o'r cyhuddiadau a wnaethpwyd yn fynych trwy'r blynyddoedd oedd fod teimladrwydd eithafol y Diwygiad wedi arwain i lacrwydd rhywiol.[197] Ac am Sir Fôn, cwynai Thomas Charles Williams ym 1907 fod llawer o anfoesoldeb rhywiol yn parhau; 'Byddwn yn ofni yn fynych i ni fyn'd yn wlad grefyddol anfoesol'.[198] A'r flwyddyn cyn hynny, honnai un sylwedydd fod anniweirdeb yn parhau'n ddrwg mawr yn yr ardaloedd Cymraeg – 'o ran hyny, mae lle i ofni i lawer iawn o'r pechod hwn gael ei gyflawni yn ystod wythnosau y Diwygiad, a hyny gan bersonau a gymerent ran flaenllaw yn y gwahanol gyfarfodydd'.[199]

Gosodiadau anodd i'w trafod yn ystadegol yw'r rhain. Y ffynhonnell orau sydd gennym yw adroddiadau'r

Cofrestrydd Cyffredinol, ac yn fwyaf arbennig yr hyn a ddywedant am enedigaethau plant y tu allan i gwlwm priodas. Ond, wrth gwrs, nid yw'n dilyn fod nifer y genedigaethau hynny'n dangos i drwch y blewyn faint y godinebu neu'r puteinio mewn ardal. Mae a wnelo arferion cymdeithasol, gwybodaeth am foddion mecanyddol i atal cenhedlu, a phethau o'r fath, â chyfieithu'r ystadegau'n osodiadau am gyflwr moes. O edrych ar Sir Fôn, dyma'r ystadegau. O bob mil o enedigaethau, yr oedd y genedigaethau y tu allan i gwlwm priodas bob blwyddyn fel hyn:

Cyfartaledd 1894–1903	1904	1905	1906	1907	1908
81	83	80	73	75	85

Hynny yw, ychydig ostyngiad a welir dros gyfnod y Diwygiad, yn arbennig 1906. Yr oedd graddfa genedigaethau yn gyffredinol – boed y rhieni yn briod ai peidio – yn gostwng trwy'r cyfnod hwn. Erbyn 1908 yr oedd graddfa genedigaethau i rieni priod wedi disgyn trwy'r Deyrnas Gyfunol ar gyfartaledd i 73.4% o'r hyn ydoedd ym 1876, a graddfa genedigaethau lle'r oedd yn rhieni yn ddibriod, tros yr un cyfnod, i 55.6% o'r hyn oedd ym 1876. Felly gellid disgwyl rhyw gymaint o ostyngiad yn ôl y drefn yn Sir Fôn hefyd. O edrych ar ffigurau Cymru gyfan, fe welir fod mwy ar gyfartaledd o enedigaethau y tu allan i gwlwm priodas ym Môn nag yn unrhyw sir arall, heblaw Maldwyn a ddangosai'r un cyfartaledd (81 y fil o enedigaethau). Yn nesaf at y ddwy sir hyn, deuai Meirionnydd (73) a Cheredigion (67). Ar waelod y rhestr deuai Morgannwg (26), Mynwy (31), Caerfyrddin (39) a Fflint (42). Mae'r ffigurau mewn cromfachau'n cynrychioli'r cyfartaleddau blynyddol tros y cyfnod 1894 hyd 1903. Yn Lloegr a Chymru rhif cyfartalog yr holl siroedd dros y blynyddoedd 1891 hyd 1900 oedd 42 o enedigaethau i rieni dibriod i bob mil o enedigaethau. Ac Essex oedd â'r lleiaf gyda dim ond 26 y fil. Yr oedd cyfartaledd Gogledd Cymru'n 59 y fil, a Norfolk oedd â'r cyfartaledd uchaf gyda 64. Fe welir felly bod Sir Fôn bob amser â phroblem pur sylweddol yn y mater hwn, er gwaethaf dwrdio'r arweinwyr crefyddol o John Elias hyd Thomas Charles Williams a Tegla.[200] Ac fe lwyddodd y Diwygiad i wneud cyfraniad bychan at leihau'r drwg, er nad oedd y gwelliant ond tros dro. Yn sicr, ni wnaeth bethau'n waeth fel yr awgrymir ambell dro gan sylwedyddion anwyddonol. Ond mae'n gwestiwn teg i'w ofyn a ellid disgwyl gwelliant syfrdanol a sylweddol yn y mater hwn o ganlyniad i hanner blwyddyn neu naw mis o gynnwrf diwygiadol, gan fod cynifer o ffactorau addysgol, cymdeithasol a seicolegol yn amodi agwedd meddwl pobl at ryw.[201]

Barn am Evan Roberts

Gan mai ymwelydd â Sir Fôn oedd Evan Roberts yn ystod Diwygiad a oedd wedi cyrraedd ei benllanw cyn iddo ddod, nid oes galw am geisio mantoli ei bersonoliaeth a'i gyfraniad ar hyn o bryd. Ond mae'n briodol cyfeirio at dystiolaeth un newyddiadurwr uchel iawn ei barch a ddilynodd gyfarfodydd y Diwygiwr yn Lerpwl a Sir Fôn ac a adawodd ei argraffiadau mewn erthygl nodweddiadol ddisglair. Cyffesa Edward Morgan Humphreys[202] fod ganddo ragfarn yn erbyn y Diwygiad ar y dechrau 'ac nid oeddwn yn hoffi llawer ar yr hyn a ddarllenaswn am ddulliau Evan Roberts ei hun'. Ond, meddai, 'Daeth newid ar fy marn am Evan Roberts . . . newid trwyadl.' Dyma rai o'i argraffiadau amdano,

> Yn raddol deuthum i'w adnabod yn dda. Buom yn lletya yn yr un mannau ac yn myned i'r cyrddau yn yr un cerbyd; buom yn cyd-gerdded ac hyd yn oed yn ceisio gwneud englyn gyda'n gilydd . . . Po fwyaf a welwn arno dyfnhau yr oedd fy serch tuag ato a'm parch iddo. Yr oedd yn amhosibl peidio parchu ei allu meddyliol; yr oedd rhai o'i anerchiadau yn ddisglair; nid oedd ynddynt arlliw o apêl arwynebol at y teimlad, a chamgymeriad mawr ydyw tybio mai *spell-binder* crefyddol oedd Evan Roberts. Siaradwr tawel oedd, ei eiriau a'i ynganiad yn glir, ei ysbryd yn gariadus a'i feddwl yn drefnus . . . Ni chlywais dinc o'r hwyl ganddo erioed; ni byddai yn gwaeddi, ond byddai yn ofnadwy o ddifrifol ar adegau a'i natur fel pe buasai yn cael ei dirdynnu . . . Peth anffodus iddo ef oedd bod ar lawer o bobl ei ofn . . . Nid oedd ganddo ddim o bendantrwydd ffyrnig rhyw fath o ddiwygiwr ac yr oedd ymhell o fod yn 'dduwiol fach'. Yr oedd yn gwbl naturiol, yn llawen yn y cwmni ac ar yr un pryd yr oedd urddas syml a hollol naturiol [ganddo] a'i gwnâi yn amhosibl i neb fyned yn hyf arno . . . Credai yn ddiysgog fod ganddo waith arbennig i'w wneud ac nid oedd dim arall yn bwysig yn ymyl hwnnw . . . Bu argraff ar led mai apêl at y teimlad yn unig oedd gan Evan Roberts ac nad oedd ganddo fawr o allu meddwl. Cyfeiliornad oedd y naill dybiaeth a'r llall. Nid oedd ganddo unrhyw apêl at y teimlad . . . credaf na byddaf

ymhell o fy lle wrth ddweud mai apêl at y meddwl a'r gydwybod oedd ei apêl ef bron yn ddieithriad . . .

Ac mae'r portread yn gorffen gyda'r gosodiad hwn, 'Beth bynnag yw fy syniadau am y diwygiad – cymysg ydyw y rhai hynny – nid oes gennyf ond un farn am Evan Roberts'.[203]

Crynhoi

Bu'n werth gwneud astudiaeth arbennig fel hyn o'r Diwygiad yn Sir Fôn er mwyn gallu cymharu'r hanes â'r hyn sy'n llawer mwy hysbys amdano ym Morgannwg. Gwelwyd fod llawer o wahaniaethau. A gwelwyd hefyd nad oes lawer o gyfiawnhad tros y caricatur dilornus a gyflwynwyd i'r cyhoedd gan y cyfryngau dros y blynyddoedd. Yr oedd agweddau ar y cynnwrf na ellid ond eu beirniadu ac, fel y dywedodd Williams Pantycelyn am ddiwygiad 1762, ceid digon o bobl a ddefnyddiodd y Diwygiad i'w dibenion hunanol eu hunain. Ond nid yw hyn yn diddymu'r budd mawr a ddaeth ohono. Yn Sir Fôn yr oedd yn ysgytiad ysbrydol mawr a ddylanwadodd er da ar filoedd o bobl. Cafodd llaweroedd lawenydd drwyddo a wnaeth eu bywyd personol yn ystyrlon. Bywiocáwyd yr eglwysi ar yr union adeg pan oeddynt yn suddo i ffurfioldeb oer.

Ysbrydolwyd llu mawr o unigolion i roi gwasanaeth fel arweinwyr ym mywyd eglwysig, bywyd diwylliannol a bywyd cymdeithasol y sir. Yn fwy na dim, adfywiwyd Cristnogaeth ym Môn i wynebu seciwlariaeth gynyddol filwriaethus, ac er i ddirwyiad enbyd ddod cyn diwedd yr ugeinfed ganrif, awgrym o'r argraff ddofn a wnaethpwyd ar yr Ynys gan y digwyddiadau y buom yn edrych arnynt oedd bod cymaint â 79.4% o'i phoblogaeth wedi datgan eu bod yn 'Gristnogion' ymron i ganrif yn ddiweddarach.[204]

Gwyddys bod nifer ohonynt yn parhau i hiraethu a gweddïo am ymweliad pellach gan yr Ysbryd Glân. Dim ond hynny ddaw â'r tân yn ôl i'r Ynys.

Nodiadau

[1] Bu farw 24 Medi 1910; gw. Hugh Owen, *Braslun o Hanes M.C. Môn (1880-1935)* (Lerpwl: Hugh Evans a'i Feibion, 1937), t. 287. Hefyd, *Blwyddiadur y Methodistiaid Calfinaidd* (1911), t. 311.

[2] *Y Drysorfa Gynulleidfaol* (1899), t. 276.

[3] *Seren Cymru* (1 Gorffennaf 1904), t. 6.

[4] Am Joseph Jenkins (1861–1929), gw. J. E. Lloyd ac R. T. Jenkins (gol.), *Y Bywgraffiadur Cymreig* (Llundain: Anrhydeddus Gymdeithas y Cymmrodorion, 1953, gydag *Atodiadau* ym 1970 a 1997), (wedi hyn *Y Bywgraffiadur*).

[5] Am J. R. Jones (bu f. 5 Gorffennaf 1908), gw. Joseph Davies, *Bedyddwyr Cymreig Glannau'r Mersi* (Lerpwl: Hugh Evans a'i Feibion, 1927), t. 90.

[6] Am Thomas Shankland, gw. *Y Bywgraffiadur*.

[7] *Seren Cymru* (21 Ebrill 1905), tt. 4–5, a (15 Gorffennaf 1904), t. 4. Hefyd, T. M. Bassett, *Bedyddwyr Cymru* (Abertawe: Tŷ Ilston, 1977), t. 359.

[8] Hugh Hughes, 'y Braich' (am mai ym Mraichtalog, Tregarth, y ganwyd ef). Ei ddyddiadau oedd 1842–1933 a dechreuodd 'deithio' fel gweinidog Wesla ym Magillt ym 1866. Rhyfedd fel y suddodd ei enw i anghofrwydd. Am ei hanes, gw. *Yr Eurgrawn Wesleyaidd* (1933), tt. 237–244; *Y Gwyliedydd Newydd* (11 Mai 1933), t. 8, a (25 Mai 1933), t. 6.

[9] T. Francis, et al., *Y Diwygiad a'r Diwygwyr* (Dolgellau: E. W. Evans, 1906), t. 144.

[10] Yn ôl llythyr gan Ellis Jones, gweinidog Ebeneser (A), Bangor, yn y *South Wales Daily News*, 2 Rhagfyr, 1904, t. 5. Gw. hefyd *Seren*

Cymru (11 Tachwedd 1905), t. 3 a (16 Rhagfyr 1904), t. 4. Morgan Jones 'Whitland' (bu f. 31 Awst 1944, yn 68 oed) oedd y myfyriwr.

[11] Ellis Jones, *South Wales Daily News* (2 Rhagfyr 1904), t. 5.

[12] *Yr Herald Cymraeg* (4 Gorffennaf 1905), t. 8; gw. hefyd, John Lasarus Williams, *Syr John Morris-Jones, 1864–1929* (Llanfair Pwllgwyngyll: John Lasarus Williams, Llyfrau Lleiniog, 2000), t. 30.

[13] Fe'i tynnwyd i lawr yn y 1970au. Am gyfnod bu'r 'Automobile Palace' ar y safle, ac wedi hynny siop 'Kwik Save'.

[14] *Y Clorianydd* (12 Ionawr 1905), t. 3.

[15] Gw. hefyd, John Lasarus Williams, *Syr John Morris-Jones*, t. 30.

[16] Gwnaeth Thomas Charles Williams yntau sylw tebyg. Wrth drafod effeithiau'r Diwygiad, dywedodd ei fod wedi ychwanegu 'at rif a dawn ein gweddïwyr cyhoeddus.' T. C. Williams, *Hanes yr Achos yn Môn* (Porthaethwy: Williams a Harrison, 1907), t. 3.

[17] Ym mhapur newydd y *Times* (Llundain), 4 Chwefror 1905, t. 9, argraffwyd llythyr pigog, tra beirniadol o'r Diwygiad, gan 'Native-born Cymro'. Haerai i John Morris-Jones ddweud am Gymraeg rhagorol gweddïwyr di-addysg, 'There can be but one possible explanation of this phenomenon. You cannot possibly explain it by any ordinary human standards. It must be inspiration.' Yna, mae'n cynnig esboniad seicolegol digon derbyniol o'i eiddo ei hun. Yn y *Times* (11 Chwefror 1905), t. 8, mae'r Athro'n ateb: 'May I be allowed to say that I never made use of these words, or of any words bearing the remotest resemblance to them.' Yr oedd 'Native-born Cymro' wedi awgrymu yn ei lythyr hefyd fod yr Athro ar fai yn gwneud gosodiad byrbwyll fel hyn 'at a time when the students are showing a tendency to prefer joining in tumultuous hymn-singing to attendance at the possibly unexciting lectures.' Gwaetha'r modd, ni wnaeth yr Athro sylw o'r wybodaeth ogleisiol hon!

[18] *South Wales Daily News* (25 Tachwedd 1904), t. 6.

[19] *Yr Herald Cymraeg* (11 Ionawr 1905), t. 6; *Y Clorianydd* (26 Ionawr 1905), t. 3. Gw. hefyd Gerwyn James, 'Llanfair Pwllgwyngyll: Astudiaeth o Gymuned Wledig ym Môn, c.1700–c.1939'

(Traethawd M. Phil, Prifysgol Cymru, Bangor, 1997), t. 159: 'O fewn dyddiau i'r Diwygiad dorri allan, fe gafwyd y digwyddiad mwyaf dramatig: fe chwalodd y Clwb Pêl-droed. Methwyd â chael tîm i chwarae gêm gynghrair yng Nghaergybi, ac fe fu'n rhaid talu dirwy o £10. Yna rhywdro yn ystod mis Ionawr, fe gynhaliwyd ryw fath o wasanaeth gan gyn-aelodau'r clwb. Claddwyd dwy bêl, ac fe godwyd carreg uwchben y "bedd" i goffau'r achlysur. Dyna felly ddiwedd "Llanfair Rovers".' Hefyd, t. 161, 'Fe laddodd Diwygiad Evan Roberts y bêl-droed am gyfnod, ond yn rhyfedd iawn, fe fu hefyd yn gyfrwng i gychwyn traddodiad arall, sef chwarae "billiards" a snwcer yn y pentref – traddodiad sy'n parhau hyd heddiw.'

[20] *British Weekly* (9 Chwefror 1905), t. 473.

[21] Mudiad dirwest gyda'i ddechreuadau yn yr Unol Daleithiau oedd y Temlwyr Da. Gw. D. D. Williams, *Hanes Dirwest yng Ngwynedd* (Liverpool: Cymanfa Ddirwest Gwynedd, 1921), tt. 60–64.

[22] Ap Glaslyn oedd John Owen (1851–1934), areithiwr dirwestol amlwg ac efengylydd brwd adeg y Diwygiad. Ceir erthygl arno yn *Y Bywgraffiadur* o dan enw ei dad, Glaslyn, Richard Jones Owen (1831–1909). Ordeiniwyd Ap Glaslyn, 1919, yn weinidog gyda'r Methodistiaid Calfinaidd.

[23] *Y Genedl Gymreig* (13 Rhagfyr 1904), t. 5. Gohebydd y *Genedl* ym Môn yn ystod y Diwygiad oedd E. Morgan Humphreys. Gw. ei lyfr, *Gwŷr Enwog Gynt, II* (Aberystwyth: Gwasg Aberystwyth, 1953), t. 100.

[24] *Y Clorianydd* (5 Ionawr 1905), t. 3.

[25] *Seren Cymru* (10 Mawrth 1905), t. 1.

[26] Am J. H. Williams (bu f. 25 Chwefror 1938, yn 68 oed), gw. *Blwyddiadur y M.C.* (1939), tt. 217–8.

[27] *Y Genedl Gymreig* (20 Rhagfyr 1904), t. 5.

[28] Gw. *Y Bywgraffiadur.*

[29] *Y Clorianydd* (22 Rhagfyr 1904), t. 4.

[30] Huw Llewelyn Williams, *Thomas Charles Williams* (Caernarfon:

Llyfrfa'r Methodistiaid Calfinaidd, 1964), t. 60. Am T. C. Williams (1868–1927), gw. hefyd *Y Bywgraffiadur*.

[31] Am George Williams (bu f. 7 Ionawr 1935), gw. 'Mynegiad Coleg y Bedyddwyr, Bangor' (1950–51), t. 9.

[32] *Y Goleuad* (13 Ionawr 1905), t. 9; T. Francis, et al., Y Diwygiad a'r Diwygwyr (1906), tt. 230–1.

[33] T. Francis, et al., *Y Diwygiad a'r Diwygwyr*, t. 231.

[34] *Yr Herald Cymraeg* (10 Ionawr 1905), t. 6.

[35] T. Francis, et al., *Y Diwygiad a'r Diwygwyr*, t. 231.

[36] *Yr Herald Cymraeg* (10 Ionawr 1905), t. 6.

[37] Ceir hanes gyrfa R.B. Jones yn llyfr B. P. Jones, *The King's Champions* (Redhill, Surrey: Love & Malcomson, 1968), a chan ei fab, Geraint, yn *Seren Cymru* (2 Gorffennaf 1943), t. 6 hyd (19 Tachwedd 1943), t. 7.

[38] Am David Lloyd (1870–1927), gw. *Seren Cymru* (11 Chwefror 1927), (18 Chwefror 1927), t. 4; (25 Chwefror 1927), t. 5. Pan aeth i Hebron, Caergybi, ym 1900 yr oedd yno 75 aelod a phan adawodd ym 1917, 276. Cododd rhif yr Ysgol Sul yr un pryd o 110 i 330. Ef oedd tad G. R. M. Lloyd, Cyn-brifathro Coleg y Bedyddwyr, Bangor. Bu David Lloyd yn gydfyfyriwr â R. B. Jones yn academi Aberafan yn ôl B. P. Jones, *The King's Champions*, t. 14.

[39] Am R. R. Hughes (1871–1959), gw. *Blwyddiadur y M.C.* (1958), tt. 249–50.

[40] Am E. B. Jones (g. 1866 yn Llanllechid), gweinidog gyda'r Annibynwyr yng Nghaergybi, 1894–1908, ac yng Ngwalchmai wedi hynny, gw. *Who's Who in Congregationalism* ([London]: Shaw Publishing Co., 1934(?)), t. 61.

[41] *Yr Herald Cymraeg* (17 Ionawr 1905), t. 6.

[42] *Seren Cymru* (10 Chwefror 1905), t. 3.

[43] *Y Clorianydd* (5 Ionawr 1905), t. 3.

[44] B. P. Jones, *The King's Champions*, t. 70. Dywed B. P. Jones iddo gael ei wybodaeth ar lafar gan David Cornelius Griffiths (1918–43), Aberdyar.

[45] *Seren Cymru* (17 Mawrth 1905), t. 6.

[46] Y chwech oedd, Morgan Jones (Whitland), David Tudwal Evans (bu f. 22 Ebrill 1951), Evan Jones (Cwmbwrla; bu f. 23 Tachwedd 1941), William Rowlands (Cyffordd Llandudno, 1937–45; bu f. 20 Tachwedd 1945), Samuel Morris (Hollybush, Penfro), William Joseph Rhys (Dinas Noddfa, Abertawe); ac Evan Williams (Blaenllyn, Dyfed, 1919–38; bu f. 15 Mawrth 1938). Gw. 'Cofnodion Coleg Bedyddwyr Gogledd Cymru', Cyfrol 12, Gorffennaf 1904 – 3 Gorffennaf 1912.

[47] Am Phillips (bu f. 24 Ionawr 1945), gw. 'Mynegiad Coleg y Bedyddwyr' (1951–2), t. 12. Bu'n gydweinidog ag R. B. Jones wedyn. Yr un modd am Thomas Bassett (Blaenrhondda), gan ychwanegu *Seren Cymru* (17 Medi 1943), t. 5. Yr oedd ei fab, Mr T. Merfyn Bassett, Bangor, yn cadarnhau'r stori, a dywedwyd gan y Cyn-brifathro G. R. M. Lloyd fod Silas Morris wedi anfon Thomas Bassett i gyrchu'r myfyrwyr eraill yn ôl i Fangor. Dychwelasant hwy, ond arhosodd Bassett yn Llannerch-y-medd!

[48] *Yr Herald Cymraeg* (31 Ionawr 1905), t. 2.

[49] *Yr Herald Cymraeg* (24 Ionawr 1905), t. 6.

[50] Am D. Tecwyn Evans (1876–1957), gw. Tudor Davies, *Cofio Tecwyn* (Caernarfon: Gwasg Pantycelyn, 2002).

[51] *Seren Cymru* (10 Mawrth 1905), t. 5; *Y Cymro* (16 Mawrth 1905), t. 3. Am Hopkin (bu f. 19 Chwefror 1948), gw. *Mynegiad Coleg y Bedyddwyr* (1951–2), t. 8.

[52] *Y Clorianydd* (2 Chwefror 1905), t. 3.

[53] Am Thomas Evans (1844–1922), gweinidog yr Annibynwyr, gw. ei gofiant yn R. O. Evans, *Y Tri Hyn* (Lerpwl: Hugh Evans a'i Feibion, 1931), tt. 230–308. Y ddau arall oedd ei frodyr David Evans (Heol Awst, Caerfyrddin) a'r Dr Owen Evans. Am Owen Hughes, gweinidog Bethesda (M.C.) – Y Capel Mawr – Amlwch o 1892 hyd ei farw ym Mawrth 1906, gw. Hugh Owen, *Braslun o Hanes M.C. Môn*, t. 85, a *Blwyddiadur y M.C.*, (1907).

[54] Ceir lluniau ffotograff ohonynt, gyda Joseph Jenkins, yn *Y Goleuad* (13 Ionawr 1905), t. 5.

[55] *Yr Herald Cymraeg* (17 Ionawr 1905), t. 6.

[56] *Yr Herald Cymraeg* (17 Ionawr 1905), t. 6.

[57] *Yr Herald Cymraeg* (31 Ionawr 1905), t. 2.

[58] *Yr Herald Cymraeg* (31 Ionawr 1905), t. 2.

[59] *Y Cymro* (12 Ionawr 1905), t. 8.

[60] *Y Goleuad* (20 Ionawr 1905), t. 9.

[61] *Y Clorianydd* (12 Ionawr 1905), t. 3. Am J. T. Davies (bu f. 17 Ebrill 1914 yn 34 oed) gw. *Blwyddiadur y M.C.* (1915), t. 314.

[62] *Y Clorianydd* (19 Ionawr 1905), t. 3. Am J. T. Job (1867–1938), gw. *Y Bywgraffiadur*; am William Thomas (bu f. 1925), gw. *Blwydd-iadur y M.C.* (1926), t. 237.

[63] *Y Clorianydd* (19 Ionawr 1905), t. 3.

[64] *Y Clorianydd* (26 Ionawr 1905), t. 3.

[65] *Y Clorianydd* (26 Ionawr 1905), t. 3.

[66] *Y Cymro* (23 Mawrth 1905), t. 5.

[67] *Y Clorianydd* (19 Ionawr 1905), t. 3.

[68] *Y Cymro* (2 Mawrth 1905), t. 3.

[69] *Seren Cymru* (10 Mawrth 1905), t. 5.

[70] R. R. Hughes, *Y Parchedig John Williams, D.D., Brynsiency*n (Caernarfon: Gwasg y Cyfundeb, 1929), t. 157. Rhoddir 'Brynsiencyn' mewn dyfynodau oherwydd mai gweinidog Princes Road, Lerpwl, oedd Williams ar y pryd. Pregethodd ei bregeth olaf yno fel gweinidog ar 18 Mawrth 1906 a symud i fyw i Lwyn Idris, Brynsiencyn. Ond fe'i gelwir yng ngweddill y stori yn 'John Williams, Brynsiencyn'.

[71] Treuliodd Mardy Davies (1867–1921) 'ei holl oes weinidogaethol' ym Mhontycymer, gw. *Blwyddiadur y M.C.* (1922), tt. 167–8. Am John Williams (Hyfrydle), bu f. Mai 1925, gw. *Blwyddiadur y M.C.* (1926), tt. 239–40; am John Evans (Disgwylfa), bu f. 2 Mai 1941 yn 75, gw. *Blwyddiadur y M.C.* (1942), t. 113; am Hugh Williams, bu f. 25 Awst 1953 yn 91, gw. *Blwyddiadur y M.C.* (1954), t. 233; am Llywelyn Lloyd, bu f. Medi 1940 yn 61, gw. *Blwyddiadur y M.C.* (1941), t. 104.

[72] R. R. Hughes, *John Williams, Brynsiencyn*, t. 157.

[73] *Y Cymro* (23 Chwefror 1905), t. 3.

[74] *Y Cymro* (23 Chwefror 1905), t. 3; *Yr Herald Cymraeg* (21 Chwefror 1905), t. 6.

[75] *Yr Herald Cymraeg* (7 Mawrth 1905), t. 8.

[76] Hugh Owen, *Braslun o Hanes M.C. Môn*, t. 50. Gweinidog Nebo a Seilo oedd Matthews ar hyd ei oes. Bu f. 21 Rhagfyr 1941. Gw. *Blwyddiadur y M.C.*, (1943), t. 129.

[77] *Y Cymro* (1 Mehefin 1905), t. 8 – ym Miwmares.

[78] *British Weekly* (27 Ebrill 1905), t. 60.

[79] Anfoddhaol yw'r hanes am y Diwygiad ym Môn mewn llyfrau. Siomedig yw pennod Richard Matthews yn *Braslun o Hanes M.C. Môn*. A thila i'w ryfeddu yw ymdriniaeth D. M. Phillips yn ei ddwy gyfrol – yr un Saesneg a'r Gymraeg – ar Evan Roberts. Ychydig ddefnyddiau sydd yn *Y Diwygiad a'r Diwygwyr*. Fel y gwelir oddi wrth y nodiadau isod, yn y papurau y ceir yr wybodaeth mwyaf defnyddiol.

[80] *Y Cymro* (18 Mai 1905), t. 5.

[81] Am John Elias (1774–1841), gw. *Y Bywgraffiadur*.

[82] Ceir darlun o 'Wylfa Hall' yn *Y Clorianydd* (1 Meh. 1905), t. 3.

[83] Bu David Hughes farw ym 1905 ond cadwyd Yr Wylfa yn dŷ haf gan y plant – R. R. Hughes, *Y Parchedig John Williams, D.D., Brynsiencyn*, tt. 163, 188.

[84] *British Weekly* (25 Mai 1905), t. 163.

[85] *Yr Herald Cymraeg* (28 Mawrth 1905), t. 1 – hysbyseb.

[86] *Y Cymro* (23 Maw. 1905), t. 8 – hysbyseb.

[87] Am Annie Davies, gw. Noel A. Gibbard, *Caniadau'r Diwygiad* (Pen-y-bont ar Ogwr: Gwasg Bryntirion, 2003), tt. 56–57.

[88] Ceir darlun clir ohonynt yn wynebu tudalen 379 yn D. M. Phillips, *Evan Roberts, The Great Welsh Revivalist* (Dolgellau: E. W. Evans, 1912). Lletyent gyda John Matthews, Y.H.

[89] *Y Tyst* (14 Mehefin 1905), t. 12.

[90] *Yr Herald Cymraeg* (13 Mehefin 1905), t. 8.

[91] Llithriad yw 'T. Charles Williams' yn *Y Clorianydd* (8 Mehefin 1905), t. 3.

[92] *Y Tyst* (14 Mehefin 1905), t. 12.

[93] *Y Tyst* (14 Mehefin 1905), t. 12.

[94] *Yr Herald Cymraeg* (13 Mehefin 1905), t. 8.

[95] *Y Cymro* (15 Mehefin 1905), t. 5. Nid yw adroddiadau'r *Cymro* o gyfarfodydd Amlwch yn gwbl eglur. Mae fel petai'n rhedeg y tri i'w gilydd. Mae'r *Herald Cymraeg, Y Clorianydd* a'r *Tyst* yn hollol glir.

[96] *Yr Herald Cymraeg* (13 Mehefin 1905), t. 8.

[97] *Yr Herald Cymraeg* (13 Mehefin 1905), t. 8.

[98] *Yr Herald Cymraeg* (13 Mehefin 1905), t. 8.

[99] *Yr Herald Cymraeg* (13 Mehefin 1905), t. 8.

[100] *Yr Herald Cymraeg* (13 Mehefin 1905), t. 8; *Y Clorianydd* (8 Mehefin), t. 3, a (15 Mehefin), t. 3.

[101] *Y Cymro* (15 Mehefin 1905), t. 5.

[102] *Yr Herald Cymraeg* (13 Mehefin 1905), t. 8.

[103] *Y Cymro* (15 Mehefin 1905), t. 5.

[104] Am dröedigaeth William Hughes, gw. H. Elvet Lewis (Elfed), *With Christ among the Miners* (London: Hodder and Stoughton, 1906), tt. 122–26.

[105] *Y Tyst* (21 Mehefin 1905), t. 4.

[106] *Y Tyst* (21 Mehefin 1905), t. 4.

[107] *Y Cymro* (15 Mehefin 1905), t. 5; *Y Clorianydd* (15 Mehefin), t. 3; *Y Genedl Gymreig* (13 Mehefin), t. 8.

[108] Hugh Owen, *The History of the Anglesey Constabulary* (Bangor, Anglesey Antiquarian Society, 1952). Dilynodd R. H. Prothero ei dad fel Prif Gwnstabl; bu f. 12 Rhagfyr 1949.

[109] Am Robert Thomas (1840–1917) gw. *Blwyddiadur y M.C.*, (1918), tt. 112–3.

[110] I'r sawl sydd â diddordeb yn ystadegau'r Diwygiad, mae'n ddiddorol sylwi mai 620 o eisteddleoedd oedd yn y capel yn

swyddogol. Yr un modd yn Amlwch. Er mai 825 o eisteddleoedd oedd yn Bethesda, argraffwyd 1200 o docynnau ar gyfer pob cyfarfod.

[111] Am J. Evans Owen (1848–1921), gweinidog gyda'r Annibynwyr, gw. *Y Dysgedydd* (1923), tt. 205–11.

[112] *Yr Herald Cymraeg* (13 Mehefin 1905), t. 8.

[113] *Yr Herald Cymraeg* (13 Mehefin 1905), t. 8. Cofiai R. Tudur Jones glywed T. E. Nicholas yn dweud amdano'i hun yn blentyn yn gweld cynulleidfa'n ymateb yn y modd annisgwyl yma o dan ddylanwad pregeth gan Herber Evans.

[114] *Yr Herald Cymraeg* (13 Mehefin 1905), t. 8; *Y Cymro* (15 Mehefin), t. 5; *Y Clorianydd* (15 Mehefin), t. 3.

[115] *Yr Herald Cymraeg* (13 Mehefin 1905), t. 8.

[116] *Y Clorianydd* (15 Mehefin 1905), t. 3; *Yr Herald Cymraeg* (13 Mehefin), t. 8.

[117] *Yr Herald Cymraeg* (20 Mehefin 1905), t. 8.

[118] *Yr Herald Cymraeg* (20 Mehefin 1905), t. 8; *Y Clorianydd* (22 Mehefin 1905), t. 3; *Y Genedl Gymreig* (20 Mehefin), t. 8.

[119] *Y Cymro* (15 Mehefin 1905), t. 5.

[120] Pan draddodwyd y ddarlith hon yn Llangefni ym 1977 yr oedd un yn y gynulleidfa – Mrs Jones, Llanfugail – oedd yn bresennol fel merch fach yn y cyfarfod ac yn cofio'r porth cyfyng yn dda, 71 mlynedd yn ddiweddarach!

[121] Nid yw'n eglur o ble y cafodd R. R. Hughes y syniad mai'r 'cwbl a ddywedodd' y Diwygiwr yn Llanfachreth oedd 'Glywch chwi'r adar yn canu?' (*Y Goleuad* (13 Mawrth 1957), t. 6.) Mae tystiolaeth y papurau newydd ar y pryd yn tystio i'r gwrthwyneb.

[122] *Y Cymro* (15 Mehefin 1905), t. 5; *Yr Herald Cymraeg* (20 Mehefin), t. 8; *Y Genedl Gymreig* (20 Mehefin), t. 8; *Y Clorianydd* (22 Mehefin), t. 3, ac adroddiad y *South Wales Daily News* yn D. M. Phillips, *Evan Roberts. The Great Revivalist*, tt. 412-14. Er y cyfrif manwl, dywedir yn y *South Wales Daily News* mai 500 i 600 oedd yno; 2200 yn ôl *Y Clorianydd*; 'tua 2000' yn ôl *Y Cymro*.

[123] Nid oedd cytundeb ar faint oedd yn bresennol – 3500 yn ôl

Yr Herald Cymraeg; 3000 yn ôl *Y Cymro*; 2000 yn ôl Dr R. P. Williams yn *Y Tyst*.

[124] Am Thomas Williams (bu f. 12 Ionawr 1942 yn 71 oed), gw. *Blwyddiadur y M.C.* (1943), t. 133.

[125] Yn ôl *Yr Herald Cymraeg* a'r *Tyst*.

[126] *Y Tyst* (21 Mehefin 1905), t. 4; *Yr Herald Cymraeg* (20 Mehefin), t. 8; *Y Cymro* (22 Mehefin), t. 4. Am R. P. Williams (1854–1930), gweinidog yr Hen Dabernacl, Caergybi, 1890–1919, gw. R. H. Davies, *Cofiant y Parch. R. P. Williams, D.D., Caergybi* (Lerpwl: Hugh Evans a'i Feibion, 1931).

[127] Am David Rees (1839–1911), gweinidog Capel Mawr a Hermon (A), 1869–14 a 1818–1913, Cadeirydd Cyngor Sir Môn, 1898–1901, gw. *Congegational Year Book* (1918), t. 148.

[128] *Y Tyst* (21 Mehefin 1905), t. 9.

[129] *Y Cymro* (22 Mehefin 1905), t. 5.

[130] *Yr Herald Cymraeg* (20 Mehefin 1905), t. 8; *Y Cymro* (22 Mehefin), t. 5.

[131] William George, *Atgof a Myfyr* (Wrecsam: Hughes a'i Fab, 1948), tt. 123–8.

[132] Ond gw. y disgrifiad llawn yn William George, *Atgof a Myfyr*, tt. 123–8.

[133] Enwir rhai ohonynt: y Parch. H. Smyrna Jones, y Parch. W. R. Roberts, y Parch. H. Edwards (Clwt-y-bont), y Mri. Ap Harri, Hywel Cefni, W. Thomas, Swyddfa'r Post, E. M. Roberts, y Banc, Richard Davies, Ysgol y Bwrdd, yr Arolygydd Prothero, Mr S. J. Evans a Madame Megan Jones Davies, Birmingham. *Yr Herald Cymraeg* (20 Mehefin 1905), t. 8.

[134] *Yr Herald Cymraeg* (20 Mehefin 1905), t. 8.

[135] *Y Cymro* (22 Mehefin 1905), t. 5.

[136] *Yr Herald Cymraeg* (20 Mehefin 1905), t. 8.

[137] *Yr Herald Cymraeg* (20 Mehefin 1905), t. 8.

[138] *Y Cymro* (22 Mehefin 1905), t. 5.

[139] Am W. Llewelyn Lloyd (1879-1940), gw. *Blwyddiadur y M.C.* (1941), t. 104.

[140] *Y Clorianydd* (22 Mehefin 1905), t. 3; *Y Genedl Gymreig* (20 Mehefin), t. 8; *Y Cymro* (22 Mehefin), t. 5; *Yr Herald Cymraeg* (20 Mehefin), t. 8. Am May John, gw. Noel A. Gibbard, *Caniadau'r Diwygiad*, t. 57.

[141] *Y Cymro* (22 Mehefin 1905), t. 5.

[142] *Yr Herald Cymraeg* (20 Mehefin 1905), t. 8.

[143] *Y Cymro* (22 Mehefin 1905), t. 5.

[144] *Y Tyst* (28 Mehefin 1905), t. 9.

[145] *Y Clorianydd* (22 Mehefin 1905), t. 3.

[146] *Y Clorianydd* (22 Mehefin 1905), t. 3. Yr oedd achosion meddwdod wedi peidio yn y llys bach, lle gynt y ceid 20 a 30 ar y tro. *Seren Cymru* (17 Mawrth 1905), t. 4.

[147] Am Kate Llewelyn Morgan, gw. Noel A. Gibbard, *Caniadau'r Diwygiad*, tt. 58–59. Yr enw a ddefnyddir yn *Yr Herald Cymraeg* (27 Mehefin 1905), t. 8, yw 'Kate Morgan Llewellyn.'

[148] *Y Goleuad* (13 Mawrth 1957), t. 6.

[149] *Y Tyst* (28 Mehefin 1905), t. 9. Gydag ef yr oedd Mrs John Williams (Hyfrydle), Mrs Forcer Evans a'r Cyrnol Hare. Gyda 'Miss Hare' yr oedd Mary Roberts ac Annie Davies yn aros yn ôl *Yr Herald Cymraeg* (27 Mehefin 1905), t. 8.

[150] R. P. Williams yn *Y Tyst* (28 Mehefin 1905), t. 9.

[151] *Y Cymro* (29 Mehefin 1905), t. 5.

[152] *Y Clorianydd* (22 Mehefin 1905), t. 3.

[153] Am Thomas Evans, gw. *Blwyddiadur y M.C.* (1952), tt. 215–6. Ceir sylwadau golygyddol tra beirniadol ar ymddygiad y dorf yng nghyfarfodydd Caergybi yn *Y Gwyliedydd* (29 Mehefin 1905), t. 4.

[154] 13 yn ôl *Y Cymro*; 17 yn ôl *Yr Herald Cymraeg*.

[155] *Y Goleuad* (13 Mawrth 1957), t. 6.

[156] *Y Tyst* (28 Mehefin 1905), t. 9. Adroddiadau yn *Yr Herald Cymraeg* (27 Mehefin); t. 8; *Y Cymro* (29 Mehefin), t. 5; *Y Clorianydd* (29 Mehefin), t. 3; *Y Genedl* (27 Mehefin), t. 8.

[157] Am Thomas Hughes (1868–1960) gweinidog Brynsiencyn 1901–9, gw. *Blwyddiadur y M.C.* (1961), t. 304.

[158] Rhwng 4000 a 5000 yn ôl *Y Clorianydd* (29 Mehefin 1905), t. 3; 5000 yn ôl *Yr Herald Cymraeg* (27 Mehefin), t. 8; 4000 yn ôl *Y Cymro* (29 Mehefin), t. 5.

[159] Er bod ambell gyfnod eirias yn y cyfarfodydd, ymddengys mai barn y gohebwyr oedd mai siomedig oeddynt.

[160] *Y Cymro* (29 Mehefin 1905), t. 5.

[161] Am Ishmael Evans (1843–1922), gweinidog Wesleaidd, gw. *Y Gwyliedydd* (21 Ebrill 1922), t. 5.

[162] *Y Genedl Gymreig* (4 Gorffennaf 1905), t. 8. Yn y cwmni enwir Dr Thomas, Biwmares, Maer Biwmares (Hugh Thomas), Dr Hughes (Dowlais) a'r Parchedigion Griffith Williams (Llangoed) a W. Llewelyn Lloyd.

[163] *Y Cymro* (6 Gorffennaf 1905), t. 5.

[164] *Y Clorianydd* (6 Gorffennaf 1905), t. 3.

[165] *Y Clorianydd* (6 Gorffennaf 1905), t. 5; D. M. Phillips, *Evan Roberts, The Great Revivalist . . .* , tt. 415–18; *Y Genedl Gymreig* (4 Gorffennaf 1905), t. 8. Am Peter Jones (Pedr Arfon), bu f. 24 Medi 1914 yn 78 oed, rheithor eithriadol lwyddiannus Llanddona o 1870–1914, gw. *Y Llan* (2 Hydref 1914), t. 5 ac R. R. Hughes, 'Biographical Epitomes of Bangor Clergy' (Teipysgrif yn Llyfrgell Prifysgol Cymru, Bangor), iv, t. 543.

[166] Am ei gŵr, Richard Davies (1818–96), aelod seneddol Môn o 1868 hyd 1886, a Henry Rees (1798–1869), 'gweinidog enwocaf y Methodistiaid Calfinaidd yn ei gyfnod', gw. *Y Bywgraffiadur*.

[167] *Y Cymro* (6 Gorffennaf 1905), t. 5; D. M. Phillips, *Evan Roberts, The Great Revivalist . . .* , tt. 418–9.

[168] 'Nid oedd y dorf o dan y dylanwad dwyfol.' *Y Clorianydd* (6 Gorffennaf 1905), t. 3.

[169] *Y Clorianydd* (6 Gorffennaf 1905), t. 3.

[170] Am William Jones Williams (1860–26 Rhagfyr 1921), gweinidog Llanfair o 1902 hyd 1920, gw. *Blwyddiadur y M.C.* (1923), tt. 213–4.

[171] T. Charles Williams, *Hanes yr Achos yn Môn*, t. 3. Dywed am y diwygiad, 'yn sicr ni fu ei ddylanwad yn gryfach a phurach mewn unrhyw ran o Gymru nag o fewn cylch y Cyfarfod Misol hwn. Ysgydwyd yr Ynys benbwygilydd . . . Nid oedd un Eglwys yn y cylch yn aros heb ei chyffwrdd, a bu ei effeithiau mewn rhai lleoedd yn nodedig iawn.'

[172] Thesbiad, 'Y Diwygiad a'r Weinidogaeth', *Y Geninen* (1906), tt. 127–132. Nid yr un oedd yr awdur hwn â Thesbiad Oes Victoria. John Roose Elias (1819–1881) oedd hwnnw.

[173] *Y Clorianydd* (3 Awst 1905), t. 3, sy'n dweud am gyfarfodydd Evan Roberts, 'y dosbarth oera o neb yn y cyfarfodydd hyn oeddynt y pregethwyr.'

[174] R. R. Hughes, *Y Parchedig John Williams, D.D., Brynsiencyn*, t. 157.

[175] *Seren Cymru* (16 Mehefin 1905), t. 9.

[176] Am Richard Owen (1839–87), gw. *Y Bywgraffiadur*.

[177] Hugh Owen, *Braslun o Hanes M.C. Môn*, t. 48.

[178] *Y Goleuad* (10 Gorffennaf 1907), t. 9.

[179] *Adroddiad Cymanfa Bedyddwyr Môn am 1904* ac *Adroddiad . . . 1905*. Bedyddiwyd cynifer â 705 ym 1905, o'i gyferbynnu â 111 ym 1904.

[180] *Y Goleuad* (10 Gorffennaf 1907), t. 9; *Y Dyddiadur Wesleyaidd* am 1904, 1905, 1906 a 1907.

[181] *Report of the Royal Commission on the Church of England and other Religious Bodies in Wales, I* (London: HMSO, 1910–11), t. 262 a mannau eraill.

[182] Am Cranogwen, sef Sarah Jane Rees (1839–1916), gw. *Y Bywgraffiadur*. Hefyd, Meic Stephens (gol.), *Cydymaith i Lenyddiaeth Cymru* (Caerdydd: Gwasg Prifysgol Cymru, 1986).

[183] *Y Goleuad* (10 Gorffennaf 1907), t. 9.

[184] *Y Goleuad* (10 Gorffennaf 1907), t. 9.

[185] 'Crefydd Cymru yn y Glorian', *Y Geninen* (1909), t. 20.

[186] Daw'r ystadegau o gyfrolau blynyddol *Blwyddiadur y Methodistiaid Calfinaidd*.

[187] *Blwyddiadur y Methodistiaid Calfinaidd* yw sail yr ystadegau hyn.

Gosodir yma rif y gwrthgilwyr fel canran o aelodau'r flwyddyn flaenorol ym mhob eitem. Nid yw'r *Blwyddiadur* yn gwneud y trosiad hwnnw.

[188] *Yr Herald Cymraeg* (27 Mehefin 1905), t. 8.

[189] *Y Cymro* (23 Chwefror 1905), t. 3.

[190] *Y Cymro* (29 Mehefin 1905), t. 5.

[191] *Y Cymro* (29 Mehefin 1905), t. 3.

[192] *Y Clorianydd* (20 Ebrill 1905), t. 3.

[193] 'Ateb Philo-Evangelius', yn Garfield Hughes (gol.), *Gweithiau William Williams, Pantycelyn, II* (Caerdydd: Gwasg Prifysgol Cymru, 1967), t. 14.

[194] Gw. 'Ateb Philo-Evangelius', tt. 13–15.

[195] Anon., *Mundesley Bible Conference Report* (London: Morgan & Scott, 1915), t. 113 – cyfres o bum darlith gan Elfed, 'Studies in Revival'. Y Cyn-brifathro G. R. M. Lloyd a dynnodd sylw R. Tudur Jones at y rhain a rhoi benthyg copi ei dad ohonynt iddo. Maent yn drafodaeth nodweddiadol gytbwys, efengylaidd a chall ar y pwnc ac yn sicr yn un o'r pethau gorau, o'r cyfnod, a gyhoeddwyd arno.

[196] *Y Goleuad* (13 Mawrth 1957), t. 6.

[197] Gw. er enghraifft, Gwilym Davies yn *Y Geninen* (1909), tt. 204–5.

[198] *Y Goleuad* (10 Gorffennaf 1907), t. 9. Fe gofia darllenwyr, E. Tegla Davies, *Gyda'r Blynyddoedd* (Lerpwl: Gwasg y Brython, 1952) am ei baragraffau llachar yn disgrifio'r puteinio yn Ffair y Borth yr un flwyddyn.

[199] Thesbiad, *Y Geninen* (1906), tt. 193–4.

[200] Am Tegla, sef Edward Tegla Davies (1880–1967), gw. *Y Bywgraffiadur* (Atodiad 1951–1970). Hefyd, Meic Stephens (gol.), *Cydymaith i Lenyddiaeth Cymru*.

[201] Mae Alwyn D. Rees yn *Life in a Welsh Countryside* (Cardiff: University of Wales Press, 1950), tt. 87–90, wedi trafod y mater hwn mewn perthynas â Llanfihangel-yng-Ngwynfa a dengys yn eglur pa mor anodd yw gwneud dyfarniadau moesol ar y pwnc. Dywed ar ei ben fod yr ystadegau swyddogol yn 'valueless for

comparing the extra-marital sexual life of urban and rural communities' (*ibid.*, tt. 87–8). Cymerwyd y ffigurau a ddefnyddiwyd yn yr adran ar 'Anfoesoldeb?' o *Annual Report of the Registrar-General* (London: General Register Office).

[202] Am Edward Morgan Humphreys (1882–1955), newyddiadurwr, llenor a darlledwr, gw. *Y Bywgraffiadur* (Atodiad 1951–1970).

[203] E. Morgan Humphreys, *Gwŷr Enwog Gynt, II*, tt. 166–109.

[204] Dyma oedd canlyniad cyfrifiad 2001.
Gw. http://www.statistics.gov.uk/census2001/profiles